Carta sobre a tolerância

Dados Internacionais de Catalogação na Publicação (CIP)
(Câmara Brasileira do Livro, SP, Brasil)

Locke, John, 1632-1704
Carta sobre a tolerância / John Locke ;
tradução de Adail Sobral. – Petrópolis, RJ : Vozes,
2019. – (Vozes de Bolso)

Título original: A letter concerning toleration

1ª reimpressão, 2019.

ISBN 978-85-326-6084-8

1. Filósofos – Inglaterra – Correspondência
2. Locke, John, 1632-1704 3. Tolerância religiosa
I. Título. II. Série.

19-24535   CDD-192

Índices para catálogo sistemático:
1. Cartas : Filósofos ingleses   192
2. Filósofos ingleses : Cartas   192

Cibele Maria Dias – Bibliotecária – CRB-8/9427

John Locke

Carta sobre a tolerância

Tradução de Adail Sobral

Vozes de Bolso

Título do original em inglês: *A Letter Concerning Toleration*

© desta tradução:
2019, Editora Vozes Ltda.
Rua Frei Luís, 100
25689-900 Petrópolis, RJ
www.vozes.com.br
Brasil

Todos os direitos reservados. Nenhuma parte desta obra poderá ser reproduzida ou transmitida por qualquer forma e/ou quaisquer meios (eletrônico ou mecânico, incluindo fotocópia e gravação) ou arquivada em qualquer sistema ou banco de dados sem permissão escrita da editora.

CONSELHO EDITORIAL

Diretor
Gilberto Gonçalves Garcia

Editores
Aline dos Santos Carneiro
Edrian Josué Pasini
Marilac Loraine Oleniki
Welder Lancieri Marchini

Conselheiros
Francisco Morás
Ludovico Garmus
Teobaldo Heidemann
Volney J. Berkenbrock

Secretário executivo
João Batista Kreuch

Editoração: Ana Lucia Q.M. Carvalho
Diagramação: Sheilandre Desenv. Gráfico
Revisão gráfica: Alessandra Karl
Capa: Ygor Moretti

ISBN 978-85-326-6084-8

Editado conforme o novo acordo ortográfico.

Este livro foi composto e impresso pela Editora Vozes Ltda.

Honorável Senhor,

Considerando ser de vosso agrado perguntar minha opinião acerca da tolerância mútua entre cristãos em suas diferentes confissões religiosas, devo responder, com brevidade, que considero a tolerância a principal marca distintiva da verdadeira Igreja. Porque, apesar do que algumas pessoas alardeiam acerca da antiguidade de lugares e nomes ou do esplendor de seu ritual de culto, outras sobre a reforma de sua doutrina, bem como, todas elas, da ortodoxia de sua fé – pois todos são ortodoxos para si mesmos; essas coisas, e todas as outras da mesma natureza, são mais propriamente marcas da luta de homens empenhando-se em alcançar o poder e o domínio uns sobre os outros do que da Igreja de Cristo. Por mais verdadeira que seja a alegação de possuir todas essas coisas da parte de alguém, caso careça de caridade, humildade e boa vontade geral para com toda a humanidade, mesmo para com aqueles que não são cristãos, essa pessoa por certo ainda estará aquém daquilo que é um cristão. "Os reis dos gentios exercem domínio sobre eles", disse nosso Salvador aos seus discípulos, "mas vós assim não sereis" (Lc 22,25). A função da verdadeira religião consiste em algo completamente distinto. Ela não é instituída a fim de erigir pompa exterior, nem para obter domínio eclesiástico ou para exercer força coerciva, mas para regular a vida dos homens segundo as regras da virtude e da piedade. Quem quer que se alinhe sob o estandarte de Cristo deve, antes e acima de tudo, combater seus próprios desejos e vícios. Em vão algum homem tentará usurpar a denominação de cristão caso careça de santidade de vida, pureza de conduta, benignidade e humildade de espírito. "Todo aquele que profere o nome de Cristo deve afastar-se da iniquidade" (2Tm 2,19). "'Tu, quando te converteres, revigora teus irmãos', disse Nosso Senhor a Pedro" (Lc 22,32).

Dificilmente me persuadirá de que esteja extremamente preocupado com a minha salvação aquele que se mostre descuidado com a sua própria. Não há quem possa lutar sinceramente, e com todo empenho, para tornar outras pessoas cristãs, se não houver realmente abraçado a religião cristã em seu próprio coração. A crer no Evangelho e nos apóstolos, ninguém pode ser cristão sem caridade, e sem aquela fé que age, não pela força, mas pelo amor. Diante disso, apelo à consciência dos que perseguem, atormentam, destroem e matam outros homens sob o pretexto da religião: acaso o fazem por amizade e bondade? E certamente acreditarei que o fazem somente quando, e só então, vir esses fanáticos corrigirem de modo semelhante os amigos e familiares pelos claros pecados cometidos contra preceitos do Evangelho; quando os vir perseguir a ferro e fogo membros de sua comunidade religiosa corrompidos por enormes vícios e que, se não se emendarem, correm indubitavelmente o risco da perdição eterna; e quando os vir manifestar assim o amor e o desejo de salvarem suas próprias almas infligindo todo tipo de tormentos e crueldades. Porque, se é por caridade, como alegam, e amor pelas almas humanas, que as despojam de suas propriedades, mutilam com castigos corporais, deixam famintos e atormentam em prisões infectas e no final até lhes tiram a vida – afirmo, se tudo isso visa apenas convertê-los em cristãos e buscar sua salvação, por que permitem que predominem entre sua própria gente a fornicação, a fraude, a malícia e outros vícios semelhantes, os quais, segundo o Apóstolo (Rm 1), advêm manifestamente da corrupção pagã? Essas e outras coisas semelhantes são mais contrárias à glória de Deus, à pureza da Igreja e à salvação das almas do que toda dissidência conscienciosa com respeito a decisões eclesiásticas ou afastamento do culto público que sejam acompanhados da mais pura inocência.

Por que então esse zelo abrasador por Deus, pela Igreja e pela salvação das almas – literalmente abrasador, digo, na fogueira – ignora sem nenhum castigo ou censura esses vícios morais e iniquidades, reconhecidos por todos como diametralmente opostos à confissão cristã, e eles se dedicam com todo o empenho a introduzir cerimônias, ou corrigir opiniões, as quais em grande parte dizem respeito a sutis tópicos que se acham além da compreensão ordinária? Qual das facções que discordam sobre essas questões é a mais correta, qual delas é culpada de cisma ou heresia, a dos que dominam ou a dos que sofrem, será por fim revelado quando for julgada a causa da separação daquele que certamente segue Cristo, abraça sua doutrina e aceita seu jugo, mesmo que renuncie a pai e mãe, se afaste das cerimônias e reuniões públicas de seu país, assim como de quaisquer outras pessoas ou coisas, momento em que este não será então julgado herege.

Ora, não se deve permitir que as divisões entre seitas obstruam a tal ponto a salvação das almas; mas, ainda assim, não se pode negar que o adultério, a fornicação, a impureza, a lascívia, a idolatria e coisas semelhantes são obras da carne, a respeito das quais o Apóstolo declarou expressamente: aqueles que as praticam não herdarão o Reino de Deus (Gl 5). Logo, aqueles que estão sinceramente ansiosos pelo Reino de Deus e julgam que têm o dever de empenhar-se para seu engrandecimento entre os homens, devem devotar-se com mais cuidado e empenho a extirpar essas imoralidades do que a destruir as seitas. Mas quem faz o contrário, sendo cruel e implacável com os que discordam de sua opinião, mas tolera iniquidades e vícios morais que não condizem com a denominação de cristão, por mais que fale acerca da Igreja, demonstra claramente por suas ações que busca outro reino, e não o avanço do Reino de Deus.

Confesso que o fato de alguém julgar apropriado levar outro homem, cuja salvação deseja de todo o coração, a sofrer tormentos, mesmo ainda não se tendo convertido, sempre me parecerá surpreendente e, creio, a toda outra pessoa. Mas certamente ninguém vai acreditar que essa atitude tenha nascido da caridade, do amor ou da boa vontade. Se alguém sustentar que os homens devem ser compelidos a ferro e fogo a professar certas doutrinas, e a adotar essa ou aquela forma de culto exterior, sem contudo levar em consideração seus princípios morais; se alguém tentar converter à sua fé aqueles que laboram no erro, obrigando-os a cultuar coisas nas quais não acreditam e permitindo-lhes praticar coisas que o Evangelho não permite – não duvido nem um pouco de que este apenas deseja reunir em uma numerosa assembleia adeptos de sua confissão, sendo, contudo, absolutamente impossível crer que pretenda instituir uma Igreja cristã. Não causa, portanto, admiração, que aqueles que não pretendem promover o avanço da verdadeira religião e da Igreja de Cristo lancem mão de armas que não são parte do arsenal cristão. Se, como o comandante de nossa salvação, desejassem sinceramente o bem das almas, deveriam eles seguir os passos e o perfeito exemplo do Príncipe da Paz, que enviou seus soldados para pacificar nações e agrupá-las sob sua Igreja, não armados de espada ou outros instrumentos de força, mas equipados com o Evangelho da paz e a santidade exemplar de suas palavras. Foi esse seu método. Porque, se a intenção fosse converter os infiéis pela força, se aqueles que estão cegos ou obstinados tivessem que ser resgatados de seus erros por soldados armados, sabemos muito bem que seria mais fácil que Ele o fizesse com exércitos das legiões celestiais do que o seria para qualquer protetor da Igreja, por mais poderoso, com todos os seus cavaleiros.

A tolerância para com os defensores de opiniões distintas acerca de temas religiosos está tão de acordo com o Evangelho de Jesus Cristo e com a genuína razão humana que parece monstruoso que haja homens tão cegos que não percebam a necessidade e vantagem dela sob uma luz tão clara. Não vou condenar aqui o orgulho e a ambição de alguns ou a paixão e o zelo impiedoso de outros. Trata-se de defeitos que talvez não possam ser perfeitamente erradicados dos assuntos humanos, ainda que sejam tais que ninguém gostaria que lhe fossem abertamente atribuídos sem disfarçá-los sob cores enganosas, para assim torná-los aceitáveis, enquanto são levados por suas próprias paixões irregulares. Mas, ainda assim, é de esperar que uns não disfarcem seu espírito de perseguição e crueldade não cristã sob a capa do zelo pela comunidade e da observância das leis e que outros, em nome da religião, não busquem impunidade para sua imoralidade e a licenciosidade de seus delitos – em uma palavra, é de esperar que ninguém imponha essas coisas a si ou a outrem, sob a capa da lealdade e obediência ao príncipe, ou de ternura e sinceridade na veneração a Deus – isso considero acima de tudo necessário para distinguir precisamente entre as funções do governo civil e as da religião, e para demarcar as justas fronteiras entre esta última e aquele. Caso isso não seja feito, não se poderão findar as controvérsias que sempre hão de surgir entre os que têm, ou ao mesmo alegam ter, um profundo interesse pelas almas, de um lado, e pela segurança da comunidade, do outro.

A comunidade se afigura a mim como uma sociedade de homens constituída apenas para a aquisição, preservação e promoção de seus próprios interesses civis. Designo por interesses civis a vida, a liberdade, a saúde física e a ausência de dor física, bem como a posse de coisas externas, tais como dinheiro, terras, imóveis, móveis etc.

É dever do magistrado civil, mediante a execução imparcial de leis igualitárias, assegurar a todo o povo em geral e a cada súdito em particular a justa posse dessas coisas que pertencem a esta vida. Se alguém pretende violar as leis da justiça e do direito público, deve sua pretensão ser reprimida pelo medo do castigo, que consiste na privação ou diminuição desses interesses civis, ou bens, de que em outra circunstância poderia e deveria usufruir. Mas, vendo que ninguém aceita voluntariamente ser despojado de qualquer parte de seus bens, muito menos de sua liberdade ou de sua vida, está o magistrado na posse dos poderes e forças de todos os seus súditos com o fito de punir os que infringirem alguns dos direitos de outros homens. Ora, o fato de que toda a jurisdição do magistrado alcança tão somente esses interesses civis, de que todo o poder, direito e domínio civil se limitam unicamente a cuidar da promoção dessas coisas e de que não deve e não pode ser de modo algum estendido à salvação das almas será, a meu juízo, amplamente provado pelas considerações a seguir.

Em primeiro lugar, porque não cabe ao magistrado civil o cuidado das almas, não mais do que a quaisquer outros homens. Isso não lhe foi outorgado, digo, por Deus, porque não parece que Deus algum dia tenha delegado autoridade a um homem sobre outro para compelir outros homens a aceitar sua religião. Nem pode esse poder ser atribuído ao magistrado pelo consentimento do povo, porque nenhum homem pode menosprezar o cuidado de sua própria salvação a ponto de deixar cegamente ao arbítrio de quem quer que seja, príncipe ou súdito, a prescrição da fé ou culto que vai abraçar. Pois ninguém pode, ainda que quisesse, conformar sua crença aos ditames de outrem. Toda a vida e eficácia da verdadeira religião consiste na persuasão interior e plena do espírito, do mesmo modo como não há fé sem crença. Seja qual for a nossa profissão de fé, seja qual for o culto exterior com o qual estamos de acordo, se não tivermos plena convicção interior de que uma é verdadeira e o outro agradável a Deus, essa profissão e essa prática, em vez de adjutórios, essas coisas constituem grandes obstáculos à nossa salvação. Porque, dessa maneira, isto é, oferecendo a Deus todo-poderoso um culto que acreditamos não ser de seu agrado, em vez de expiar outros pecados mediante o exercício da religião, acrescentamos ao nosso outros tantos pecados, os da hipocrisia e do desrespeito à Divina Majestade.

Em segundo lugar, o cuidado das almas não pode ser de competência do magistrado civil porque o poder deste consiste totalmente em força exterior, enquanto a religião verdadeira e salvadora consiste na persuasão interior do espírito, sem a qual nada pode ser aceitável para Deus. E é da natureza do entendimento humano não se poder compelir outrem a crer no que quer que seja pela força externa. Pode-se confiscar os bens dos homens, aprisioná-los e torturar seu corpo e nada dessa espécie poderá ter eficácia para os fazer mudar os juízos internos que formaram acerca das coisas. Pode-se com efeito alegar que o magistrado pode usar argumentos para, por meio deles, conduzir o heterodoxo ao caminho da verdade, proporcionando-lhe sua salvação. Concedo, mas isso se aplica tanto ao magistrado como a outros homens. Ensinando, instruindo e corrigindo os que erram mediante argumentos, ele pode certamente fazer o que convém a toda pessoa bondosa. A magistratura não o obriga a pôr de lado a humanidade ou o cristianismo; mas uma coisa é persuadir e outra ordenar, assim como uma coisa é induzir por meio de argumentos e outra fazê-lo por meio de punições. As primeiras ações só o poder civil está apto a realizar, mas as outras dependem da boa vontade humana. Todo homem tem o direito de admoestar, exortar, persuadir outrem do erro e, mediante o raciocínio, levá-lo a alcançar a verdade; mas fazer vigorar leis, ser obedecido e compelir pela espada, cabe exclusivamente ao magistrado. Afirmo, com base nisso, que o poder do magistrado não se estende a prescrever artigos de fé, ou formas de culto, pela força das leis. Porque as leis de nada valem se não se vincularem a punições, e as punições, em nosso caso, são obviamente não pertinentes, porque inadequadas para convencer o espírito. Nem a profissão de artigos de fé nem a conformidade a alguma forma exterior de culto (como já foi dito) podem estar disponíveis para a salvação de almas sem que a verdade daquela e a aceitabilidade desta aos olhos de Deus sejam objeto de crença absoluta daqueles que as professam e praticam.

As punições, contudo, não são de modo algum capazes de produzir essa crença. Somente a clara luz pode mudar as opiniões dos homens, e essa luz de modo algum pode advir do sofrimento do corpo ou de outras penas exteriores.

Em terceiro lugar, o cuidado da salvação das almas não pode ser de responsabilidade do magistrado porque mesmo que a autoridade das leis e a força das penas fossem capazes de convencer e mudar o espírito dos homens, isso em nada ajudaria a salvação de suas almas. Pois como há apenas uma verdade, uma única via que leva ao céu, que esperança haveria no fato de a maioria dos homens a alcançar caso estes tivessem como regra exclusiva a religião da corte, sendo obrigados a abandonar a luz de sua própria razão, contrariando os ditames de sua consciência, para se submeterem cegamente à vontade de seus governantes e à religião que a ignorância, a ambição ou a superstição por acaso viessem a estabelecer nos países nos quais nasceram? No âmbito da variedade e contradição entre opiniões sobre religião, com respeito às quais os príncipes do mundo se acham tão divididos quanto com relação a seus interesses seculares, o caminho mais estreito se tornaria inevitavelmente ainda mais estreito; um único país estaria certo, e todo o resto do mundo estaria obrigado a seguir seus príncipes em caminhos que levam à destruição, e, acentuando o absurdo e a impropriedade disso para a noção de divindade, os homens deveriam sua felicidade ou desgraça eterna simplesmente ao lugar de seu nascimento.

Essas considerações, entre muitas outras que podiam ser arroladas com o mesmo propósito, parecem-me suficientes para concluirmos que todo o poder do governo civil diz respeito apenas aos interesses civis dos homens, estando restrito a cuidar das coisas deste mundo, e nada absolutamente tendo que ver com o mundo por vir.

Consideremos agora o que é uma Igreja. A meu ver, uma Igreja é uma sociedade voluntária de homens, que se reúnem por iniciativa própria com vistas ao culto público de Deus da maneira que acreditam ser aceitável para Ele e capaz de promover a salvação de suas almas. Afirmo que é uma sociedade livre e voluntária. Ninguém nasce membro de alguma Igreja. Se nascesse, a religião dos pais seria transmitida aos filhos pelo mesmo direito de herança aplicável a seus bens temporais, e todos manteriam a fé da mesma maneira como mantêm a posse de suas terras, razão por que nada pode ser mais absurdo de imaginar do que isso. Assim é, portanto, o estado dessa questão: nenhum homem se acha por natureza obrigado a uma Igreja ou seita específica, mas todos se agregam voluntariamente à sociedade na qual creem ter encontrado a profissão e o culto que é verdadeiramente aceitável para Deus. A esperança da salvação, tendo sido a única causa de sua entrada nessa comunhão, só pode ser a única razão para que nela permaneça. Se mais tarde descobrir alguma coisa errônea na doutrina ou incongruente no culto da sociedade a que se incorporou, não deve o homem sempre ter a liberdade de sair, tal como a teve para entrar? Todo membro de uma sociedade religiosa só pode ter como laços aqueles que derivem de certa expectativa de vida eterna. Uma Igreja é, portanto, uma sociedade de membros que se unem voluntariamente para esse fim.

Cabe agora considerar em que consiste o poder da Igreja e a que leis está sujeita. Como nenhuma sociedade pode manter-se unida, por mais livre que seja, ou por mais superficial que seja o motivo de sua instituição – seja uma sociedade de filósofos para fins de conhecimento, de comerciantes para fins de comércio ou de homens ociosos para fins de conversação e comunicação entre si – nenhuma igreja ou companhia, afirmo, pode ao menos subsistir e manter-se como tal na completa ausência de leis, mas, em verdade, vai dissolver-se imediatamente e despedaçar-se se não for regulada por algumas leis e se todos os membros não consentirem em observar certa ordem. Deve-se estabelecer o horário e o lugar das reuniões, e regras de admissão e exclusão de membros; distinguir funções; estabelecer o curso regular de suas atividades e assim por diante. No entanto, sendo essa união de vários membros nessa Igreja-sociedade, como foi demonstrado, absolutamente livre e voluntária, segue-se necessariamente que o direito de formular suas leis não pode pertencer a ninguém em particular, mas à própria sociedade, ou, pelo menos – o que é equivalente – àqueles a quem a sociedade autorizou por consentimento geral que o façam.

Alguns talvez objetem que nenhuma sociedade como essa pode ser considerada uma Igreja verdadeira se não contar com a participação de um bispo ou presbítero, cuja autoridade legal derive dos próprios apóstolos e permaneça até o momento mediante uma sucessão ininterrupta. A estes respondo, em primeiro lugar, que me mostrem o édito mediante o qual Cristo impôs essa lei à sua Igreja. E que ninguém pense que sou impertinente se em assunto de tamanha importância exijo que os termos desse édito sejam bem explícitos e inequívocos; porque a promessa que Ele nos fez – "onde dois ou três se reunirem" em seu nome, entre eles Ele estará (Mt 18,20) – parece sugerir o contrário. Rogo-lhes que considerem que uma tal assembleia não precisa de nada mais para ser Igreja verdadeira. Estou convicto de que nada lhe falta para os fins da salvação de almas, e isso basta ao nosso propósito.

Em segundo lugar, rogo-lhes que observem que sempre houve divisões, mesmo entre aqueles que muito enfatizam a instituição divina e a sucessão contínua de uma certa ordem de dirigentes da Igreja. Ora, suas próprias dissenções nos impõem inevitavelmente a necessidade de deliberar e, em consequência, nos facultam a liberdade de escolher aquilo que, depois de nossa deliberação, seja de nossa preferência. E, por fim, concordo que esses homens tenham um dirigente em sua Igreja, estabelecido pela longa cadeia de sucessão que julguem necessário, contanto que me seja dada simultaneamente a liberdade de unir-me à sociedade na qual estou persuadido de encontrar tudo o que é necessário para a salvação de minha alma. Dessa maneira, a liberdade eclesiástica será preservada por todos os lados, e nenhum homem vai ter imposto a si um legislador que não aquele que ele mesmo escolheu.

Entretanto, como os homens se mostram tão apreensivos acerca da verdadeira Igreja, eu apenas lhes perguntaria aqui, a propósito, se não seria mais conveniente à Igreja de Cristo fazer que as condições de sua comunidade consistam naquilo, e unicamente naquilo, que o Espírito Santo declarou nas Sagradas Escrituras, em termos explícitos, ser necessário à salvação; pergunto, em outras palavras, se isso não seria mais agradável à Igreja de Cristo do que os homens imporem suas próprias invenções e interpretações a outros, como se tivessem autoridade divina, ou estabelecerem, por leis eclesiásticas, como absolutamente necessárias à confissão cristã, coisas que as Sagradas Escrituras não mencionam ou, ao menos, não ordenam expressamente? Quem quer que exija, para haver comunidade eclesiástica, coisas que Cristo não exige para haver vida eterna deve, em verdade, constituir uma sociedade que se adapte à sua própria opinião e vantagem; mas não entendo como se possa chamar de Igreja de Cristo aquela que se estabelece baseada em leis que não são as suas e exclui da comunhão pessoas que Cristo um dia receberá no Reino dos Céus? Contudo, não sendo este o lugar adequado para investigar os sinais da verdadeira Igreja, apenas chamo a atenção dos que pugnam com tanta seriedade em favor dos decretos de sua própria sociedade, exclamando constantemente "A Igreja! A Igreja!", em altos brados, e, quem sabe, com base no mesmo princípio dos ourives de Éfeso clamando por sua Diana (At 19); eis aquilo para que, repito, desejo chamar sua atenção: o Evangelho declara com frequência que os verdadeiros discípulos de Cristo devem sofrer perseguição; mas não me recordo de ter lido em nenhuma parte do Novo Testamento que a Igreja de Cristo deve perseguir e forçar outrem, por meio do fogo e da espada, a abraçar sua fé e doutrina. Como já afirmei, a finalidade de uma sociedade religiosa consiste no culto público de Deus para, por meio disso, alcançar a vida eterna. Portanto, toda disciplina deve orientar-se para esse objetivo e todas as leis eclesiásticas a isso têm de restringir-se. Não se deve nem se pode desenvolver atividades para obter bens civis ou terrenos nessa sociedade. E em nenhuma ocasião, seja qual for, se deve nela recorrer à força. Porque a força pertence inteiramente ao magistrado civil, estando a posse e uso de todo bem exterior sujeita à jurisdição deste.

Mas, pode-se perguntar, mediante que recursos se estabelecerão leis eclesiásticas se estas devem estar destituídas de todo poder coercivo? Respondo: elas devem ser estabelecidas por meios adequados à natureza dessas coisas, de modo que a profissão e as manifestações exteriores, se não resultarem da profunda convicção e aprovação do espírito, são totalmente destituídas de utilidade e valor. As armas mediante as quais os membros dessa sociedade devem ser lembrados de seus deveres são exortações, admoestações e conselhos. Se essas medidas não reformarem os transgressores nem persuadirem os desviados, nada mais resta a fazer exceto excluir e afastar essas pessoas obstinadas e teimosas, que não dão motivos de esperança de que se reformem. É essa a força máxima e última da autoridade eclesiástica. Portanto, nenhum castigo pode ela infligir além de fazer cessar a relação entre o corpo e o membro desgarrado. A pessoa condenada por esse motivo deixa de pertencer a essa Igreja.

Estando essas coisas estabelecidas, investiguemos a seguir a questão: Até que ponto vai o dever de tolerância e o que ele requer de todos e cada um?

Antes de tudo, afirmo que nenhuma Igreja se acha obrigada, pelo dever de tolerância, a manter em seu seio uma pessoa que, mesmo depois de admoestada, continua obstinadamente a transgredir as leis dessa sociedade. Porque, constituindo essas leis as condições da comunhão, bem como o único laço que une entre si os membros da sociedade, caso se deixem impunes as infrações, a sociedade vai se dissolver imediatamente por esse motivo. Entretanto, em todos esses casos deve-se tomar cuidado para que a sentença de excomunhão e sua execução não envolvam termos ou tratamentos grosseiros devido aos quais a pessoa expulsa venha a ser prejudicada fisicamente ou no tocante a seus bens. É que toda força, como se tem repetido, cabe ao magistrado, não devendo nenhuma pessoa, usar a força, excetuando apenas os casos de autodefesa contra a violência injusta. A excomunhão não despoja nem pode despojar o excomungado de quaisquer dos bens civis que antes lhe pertenciam. Todas essas coisas são de competência do governo civil, e sujeitas à proteção do magistrado. Toda a força da excomunhão consiste apenas nisto: tendo sido declarada a resolução da sociedade quanto a isso, fica dissolvida a união entre o corpo e um certo membro, e, cessando essa relação, cessa a participação deste em certas coisas que a sociedade comunicava a seus membros, e sobre as quais ninguém tem direitos civis de qualquer natureza. Porque não comete dano civil ao excomungado a recusa, pelo ministro da Igreja, na celebração da Ceia do Senhor, do pão e do vinho que não foram comprados com o dinheiro dele, mas com o de outros homens.

Em segundo lugar, nenhuma pessoa privada tem o direito de prejudicar de qualquer maneira outrem no gozo de seus direitos civis por ser este de outra Igreja ou religião. Todos os direitos e concessões que lhe pertencem como indivíduo, ou como cidadão, devem ser inviolavelmente mantidos em sua posse. Essas coisas não são do domínio da religião. Deve-se evitar toda violência e todo agravo contra ele, seja cristão ou pagão. Mais do que isso, não devemos nos contentar com os simples critérios da justiça, sendo preciso adicionar a eles a caridade, a benevolência e a liberalidade. Essa é a injunção do Evangelho, o que ordena a razão e aquilo que exige de nós a amizade natural na qual nascemos. Quem se desvia do caminho reto causa sua própria infelicidade, e não causa a outrem nenhum dano; nem deve alguém puni-lo nas coisas desta vida porque supõe que ele vai passar por infortúnios na vida por vir.

O que digo acerca da tolerância mútua de pessoas que divergem entre si em questões de religião também se aplica, a meu juízo, às Igrejas particulares, que têm entre si, por assim dizer, a mesma relação que têm as pessoas: nenhuma delas tem qualquer jurisdição sobre a outra, mesmo quando o magistrado civil – o que por vezes acontece – pertence a esta ou aquela comunhão. Porque o governo civil não pode outorgar nenhum novo direito à Igreja nem esta ao governo civil. Em consequência, quer o magistrado civil pertença a certa Igreja, ou esteja separado dela, a Igreja permanece sempre o que foi antes: uma sociedade livre e voluntária. Ela não requer o poder da espada devido ao ingresso do magistrado, nem por este tê-la deixado perde ela a autoridade de ensinar e excomungar. Este será sempre o direito imutável de uma sociedade espontânea: o poder de excluir o membro que transgredir as regras; mas não adquire, por aceitar novos membros, nenhuma jurisdição sobre aqueles alheios a ela. E, portanto, a paz, a equidade e a amizade devem sempre ser observáveis nas diferentes Igrejas, do mesmo modo que entre as pessoas privadas, sem nenhuma alegação de superioridade ou jurisdição de umas sobre as outras.

Para melhor esclarecer o assunto por meio de um exemplo, suponhamos que haja duas Igrejas em Constantinopla, uma de armênios e a outra de calvinistas. Vai alguém dizer que alguma dessas Igrejas tem o direito de privar os membros da outra de sua propriedade e liberdade (como se pratica algures) devido a divergirem entre si quanto a doutrinas e cerimônias, enquanto os turcos em silêncio se divertem ao ver a crueldade desumana com que cristãos tratam dessa maneira cristãos? Mas se se admite que alguma dessas Igrejas detenha o poder de maltratar a outra, pergunto então a qual delas cabe tal poder e com que direito? A resposta, sem dúvida, é que a Igreja ortodoxa é a que tem direito de exercer autoridade sobre as errôneas ou hereges. Isso equivale a dizer, mediante o uso de termos complicados e capciosos, nada que faça sentido. Porque toda Igreja é ortodoxa para si mesma e errônea e herege para as outras. Qualquer que seja a crença de certa Igreja, esta acredita ser a verdadeira, e o que for contrário a isso ela considera um erro. Destarte, a controvérsia entre essas Igrejas acerca da verdade de suas doutrinas e a pureza de seu culto é igual para todas as partes; pois não existe qualquer juiz, seja em Constantinopla ou em qualquer outra parte do mundo, cuja sentença possa determinar qual delas está certa. A decisão sobre essa questão cabe unicamente ao Juiz Supremo de todos os homens, a quem também cabe exclusivamente punir os que erraram. Entrementes, que avaliem como pecam hediondamente esses homens quando, acrescentando injustiça, se não a seu erro, certamente a seu orgulho, atormentam impetuosa e insolentemente os servos de outro mestre, os quais de modo algum estão obrigados a lhes prestar contas.

E, mais do que isso, caso fosse possível tornar manifesto qual das duas Igrejas divergentes está certa, nem por isso seria atribuído à Igreja ortodoxa o direito de destruir a outra. Porque nem as Igrejas possuem qualquer jurisdição em questões temporais nem são a espada e o fogo instrumentos com os quais convencer o espírito dos homens de erros e esclarecê-los sobre a verdade. Suponhamos, não obstante, que o magistrado civil se incline por uma delas e ponha a espada em suas mãos, dando-lhe seu consentimento para que castigue os dissidentes a seu bel-prazer. Alguém diria que algum direito concedido à Igreja cristã sobre seus irmãos pode ser concedido por um imperador turco? Um infiel, que não detém autoridade para punir cristãos por seus artigos de fé, certamente não pode conferir essa autoridade a uma sociedade de cristãos, nem lhe conceder um direito que ele próprio não tem. Esse seria o caso em Constantinopla. E o motivo é o mesmo em todo reino cristão. O poder civil é o mesmo em toda parte. Não pode este poder, nas mãos de um príncipe cristão, conceder maior autoridade à Igreja do que o poderia caso estivesse nas mãos de um ateu, isto é, simplesmente não lhe pode conceder nenhuma autoridade.

Vale, contudo, observar, e lamentar, que os mais violentos dentre esses defensores da verdade, opositores dos erros e intolerantes para com os cismas dificilmente desistem de semelhante zelo por Deus, que tanto os agita e inflama, exceto quando têm de seu lado o magistrado civil. Mas tão logo o favor da corte lhes outorga poder, e começam a se sentir os mais fortes, eis que a paz e a caridade são abandonadas. Em situação distinta desta, são os paladinos da boa religiosidade. Onde não têm o poder de promover perseguições e de se tornar dominantes, desejam viver em justas condições e pregam a tolerância. Quando não estão fortalecidos pelo poder civil, podem suportar, bem paciente e impassivelmente, o contágio da idolatria, da superstição e da heresia em sua vizinhança, enquanto, em outras situações, os interesses da religião os deixam extremamente apreensivos diante desse contágio. Eles não atacam diretamente os erros em voga na corte ou tolerados pelo governo. Quanto a isso, contentam-se em guardar para si seus argumentos, que, no entanto (com seu consentimento), é o único método correto de propagar a verdade, a qual não tem melhor maneira de prevalecer do que quando se aliam o peso de fortes argumentos e da boa razão à humanidade e benevolência[1].

Ninguém, portanto, *in fine*, sejam pessoas ou Igrejas, e sequer comunidades, pode, a justo título, violar os direitos civis e os bens terrenos de outrem em nome da religião. Aqueles que têm outra opinião fariam bem em ponderar consigo mesmos sobre quão perniciosa é a semente da discórdia e da guerra, quão forte a incitação a infindáveis ódios, rapinas e matanças, que assim agindo oferecem à humanidade. Nenhuma paz e segurança, não, e muito menos a amizade, pode um dia ser estabelecida ou preservada entre os homens enquanto prevalecer a opinião de que o domínio se funda na graça e de que a religião deve ser propagada pela força das armas.

Em terceiro lugar, vejamos o que dever de tolerância exige dos que se distinguem do resto dos homens (isto é, dos leigos, como lhes apraz nos denominar) por estar investidos de certa condição e ofício eclesiásticos, como bispos, padres, presbíteros, ministros, ou dignificados e distinguidos de outras maneiras. Não é meu objeto aqui investigar a origem do poder ou da dignidade do clero. Afirmo apenas que, seja qual for a fonte da qual vem sua autoridade, deve ela confinar-se aos limites da Igreja, não podendo de forma alguma ser estendida a assuntos civis, porque a Igreja está totalmente apartada da comunidade e dela se distingue. As fronteiras entre elas são fixas e imutáveis. Quem mistura o céu e a terra, coisas tão remotas e opostas entre si, confunde essas duas sociedades, cuja origem, objetivo e atividade são em tudo perfeitamente distintas e infinitamente diferentes uma da outra. Logo, ninguém, seja qual for o ofício eclesiástico que o dignifica, pode destituir outro homem que não pertence à sua Igreja e fé, da liberdade ou de qualquer parcela de seus bens terrenos com base em diferenças em termos de religião. Pois tudo que não é legal para toda a Igreja não pode, por meio de qualquer direito eclesiástico, tornar-se legal para algum de seus membros.

Mas isso não é tudo. Não basta que os homens eclesiásticos se abstenham da violência, da rapina e de todos os modos de perseguição. Quem aspira a ser sucessor dos apóstolos, e assume a responsabilidade de ensinar, se acha na obrigação de advertir seus ouvintes dos deveres da paz e da boa vontade para com todos os homens, tanto aquele que labora em erro como o ortodoxo, tanto os que diferem dele na fé e culto como aqueles que com ele concordam quanto a isso. E deve aconselhar com empenho todos os homens, quer pessoas privadas ou magistrados (se os houver em sua igreja) a praticar a caridade, a humildade e a tolerância, e dedicar-se diligentemente a acalmar e moderar todo fervor e aversão irrazoáveis do espírito que o zelo ardente por sua própria religião e seita ou a astúcia de outros tiver incitado contra os dissidentes.

Não se afigura necessário descrever a qualidade e a abundância do fruto, tanto na Igreja como no Estado, se os púlpitos em toda parte ressoassem essa doutrina da paz e da tolerância, para não dar a impressão de que reflito com demasiada severidade sobre homens cuja dignidade não desejo reduzir nem desejo ver reduzida por terceiros ou mesmo pelos próprios. Não obstante, afirmo, pois assim deve ser: aquele que se considera ministro da Palavra de Deus, um pregador do evangelho da paz, e ensina o oposto, ou não entende ou não leva a sério a função de sua vocação, e deverá algum dia prestar contas disso ao Príncipe da Paz. Se os cristãos devem ser admoestados a evitar toda espécie de vingança, mesmo diante de repetidas provocações e múltiplos danos, com muito mais razão devem os que nada sofreram, nem foram objeto de danos, evitar toda violência e todo tipo de hostilidade contra aqueles que em nada os ofenderam! Devem eles, sem dúvida, exibir essa cautela e precaução diante daqueles que somente tratam de sua própria vida e se preocupam tão somente (pouco importando o que os homens pensam deles) em poder cultuar Deus da maneira que creem será mais aceitável a Ele e que a seu juízo julgam lhes propiciar maior esperança de salvação eterna.

Nos assuntos domésticos, na administração dos bens e na conservação da saúde física, todos podem discernir o que é mais conveniente a si mesmos e seguir o curso que se afigurar o melhor. Ninguém reclama da má administração de seus próprios negócios pelo próximo. Nenhum homem se enfurece com outrem por ter este errado ao semear sua própria terra ou casar sua filha. Ninguém corrige um perdulário por ter despendido sua fortuna na taverna. Ninguém censura ou regula alguém por demolir, construir ou fazer quaisquer despesas; sua liberdade é garantida. Mas o homem que não frequenta a Igreja, não se comporta segundo as cerimônias estabelecidas ou não faz que seus filhos sejam iniciados nos sagrados mistérios desta ou daquela congregação provoca enorme furor. A vizinhança clama e protesta em altos brados. Todos se prontificam a ser o vingador de tão grave crime, e os fanáticos dificilmente se abstêm de cometer violência e rapina enquanto sua causa não for ouvida e o pobre homem seja condenado, nos termos da lei, à perda da liberdade, de seus bens ou da vida. Que se faculte aos oradores sacros de toda seita o uso de argumentos vigorosos para refutar os erros humanos! Mas que se poupem as pessoas. Que eles não substituam sua busca de razões pelos instrumentos da força, que pertencem a outra jurisdição e são prejudiciais nas mãos de Sacerdotes. Que não recorram à autoridade do magistrado como adjutório de sua própria eloquência ou sabedoria, a fim de talvez evitar que, embora declarem seu amor à verdade, esse seu zelo imoderado, que só exsuda fogo e espada, revele sua ambição e mostre que o que desejam é o domínio temporal. Porque não será fácil persuadir homens sensatos de que quem pode, com impiedade e satisfação, enviar o irmão ao carrasco para ser queimado vivo esteja preocupado sinceramente, e de todo o coração, em salvar esse irmão das chamas do inferno no mundo por vir.

Por fim, consideremos qual o dever do magistrado com respeito à tolerância, que por certo é bem considerável. Já provamos que o cuidado das almas não é a província do magistrado. Não se pode negar a nenhum homem não o cuidado magistrático (se assim se pode dizer), ou seja, aquele que consiste em prescrever por meio de leis e compelir mediante punições, mas sim o cuidado caridoso, que consiste em ensinar, admoestar e persuadir. Por conseguinte, o cuidado da alma de cada homem pertence a ele próprio e deve ser deixado a seu cargo. Mas e se ele negligenciar o cuidado de sua própria alma? Respondo: e se ele não cuidar de sua saúde e propriedades, coisas que mais de perto dizem respeito ao governo do magistrado do que essa, vai o magistrado estipular, por meio de lei expressa, que certo indivíduo não pode ficar pobre ou doente? As leis asseguram, tanto quanto possível, a proteção dos bens e da saúde dos súditos contra danos advindos da fraude e violência de terceiros, mas não os protege da negligência ou prodigalidade dos próprios detentores desses bens. Nenhum homem pode ser forçado a ser sadio ou rico querendo ou não. Mais do que isso, o próprio Deus não salva os homens contra a vontade deles. Suponhamos, contudo, que algum príncipe pretenda forçar os súditos a acumular riquezas ou preservar a saúde e vigor de seus corpos. A lei haverá de prever que têm de consultar somente médicos católicos e que todos serão obrigados a viver segundo suas prescrições? Vai se determinar que não se tome nenhum remédio ou alimento, exceto os preparados no Vaticano, digamos, ou provenientes de uma botica de Genebra?[2] Ou, para tornar esses súditos ricos, serão todos obrigados por lei a ser mercadores ou músicos? Ou deverão todos se converter em merceeiros, ou ferreiros, porque há quem mantenha a família na abundância, e enriqueça, exercendo essas profissões?

Claro que se pode dizer que há milhares de caminhos que levam à fortuna, mas apenas um caminho para o céu. São por certo sábias palavras, especialmente ditas pelos que se empenham em compelir os homens a seguir esse ou aquele caminho. Mesmo que houvesse vários caminhos que levam aí, ainda assim não haveria uma única justificativa para a coerção. Mas, então, se estou marchando, com máximo vigor, pelo caminho que, segundo a geografia sagrada, leva diretamente a Jerusalém, por que sou espancado e maltratado por outros? Talvez por não usar botas de cano alto, porque meu cabelo não foi cortado como deveria, porque não me deram o banho batismal de maneira correta ou porque como carne na estrada ou algum outro alimento que me faz bem, ou então porque evito certos atalhos que parecem me levar a sarças e precipícios; porque, entre os vários caminhos da mesma estrada, e que levam para a mesma direção, escolho aquele que me parece mais direto e limpo; porque evito a companhia de certos viajantes que são menos graves e de outros que são mais ásperos do que deveriam ser; ou, enfim, porque sigo um guia que está, ou não está, vestido de branco ou coroado por uma mitra? Sem dúvida, se ponderarmos devidamente, descobriremos que, o mais das vezes, são frivolidades como essas que (sem prejuízo da religião e da salvação das almas, desde que não acompanhadas da superstição ou da hipocrisia) podem ser tanto observadas como omitidas. Afirmo que são coisas desse jaez que criam inimizades implacáveis entre confrades cristãos, que concordam sobre os aspectos substanciais e verdadeiramente fundamentais da religião.

Porém, concedamos a esses fanáticos, que condenam tudo que não se enquadre em seu padrão, que essas circunstâncias originam diferentes direções. O que devemos concluir disso? Que há apenas um verdadeiro caminho para a felicidade eterna, mas, que dentre os mil caminhos que os homens tomam, ainda há dúvidas sobre qual é o mais correto. Ora, nem o cuidado da comunidade nem o justo decreto de leis revelam o caminho que leva ao céu com certeza maior para o magistrado do que o revelam a busca e o estudo de cada homem em seu íntimo. Suponhamos que tenho o corpo fraco e sou atacado por grave doença para a qual (suponho) há apenas uma cura, ainda que desconhecida. Caberá então ao magistrado prescrever um remédio, porque há apenas um único e porque este é desconhecido? Por haver somente uma maneira de escapar da morte será então mais seguro fazer o que o magistrado ordena? Tudo quanto cada homem deve sinceramente inquirir em si mesmo, e, com meditação, estudo, investigação e seus próprios esforços, alcançar entendimento, não pode ser considerado propriedade particular de nenhuma classe de homens. Na verdade, os príncipes nascem superiores a outros homens em poder, mas em natureza são iguais. Nem o direito nem a arte de governar compreendem o conhecimento seguro de outras coisas, e menos ainda da verdadeira religião. Pois, se assim fosse, como explicar que os senhores de terra difiram grandemente em questões religiosas? No entanto, concedamos que, provavelmente, o príncipe conheça melhor o caminho para a vida eterna do que seus súditos, ou pelo menos que, face a essa incerteza, o caminho mais seguro e conveniente seja obedecer a seus ditames. Alguns dirão: "O que decorre disso?" Caso ele mandasse alguém ganhar a vida no comércio, a pessoa recusaria esse curso por duvidar de que venha a lográ-lo? Respondo: eu me tornaria mercador por ordem do príncipe porque, se não fosse bem-sucedido no comércio, o príncipe dispõe de todas as condições para compensar minha perda de algum outro modo. Se for verdade, como afirma, que deseja que eu prospere e enriqueça, ele certamente poderá me reerguer quando viagens malsucedidas me levarem à ruína. Mas não é esse o caso em assuntos acerca da vida por vir; se nela eu seguir o curso errado, se no tocante a isso eu vier a fracassar, não está em poder do magistrado reparar minha perda, abrandar meu sofrimento ou restaurar de algum modo meu equilíbrio, quanto mais inteiramente. Que segurança se pode dar com relação ao Reino do Céu?

Alguns talvez digam que supõem estar esse julgamento infalível, para o qual tendem todos os homens em questões de religião, não em poder do magistrado civil, mas no da Igreja. O magistrado civil deve ordenar que se observe aquilo que foi determinado pela Igreja; e, mediante sua autoridade, deve fazer que ninguém aja ou acredite em assuntos sacros em oposição ao ensinamento da Igreja. Em consequência, o juízo sobre esses assuntos pertence à Igreja; o próprio magistrado obedece a ele, e exige dos outros a mesma obediência. A isso respondo: quem não vê com que tamanha frequência o nome da Igreja, venerável na época dos apóstolos, tem sido usado em épocas posteriores para lançar poeira nos olhos das pessoas? Contudo, seja como for, isso não nos ajuda no presente caso. O único caminho estreito que leva ao céu não é mais bem conhecido do magistrado do que dos indivíduos, e disso decorre que não posso tomar o magistrado como guia, pois provavelmente ele ignora tanto quanto eu o caminho e decerto deve estar menos preocupado do que eu com minha própria salvação. Quantos não foram os reis dos judeus, dentre tantos, que, obedecidos cegamente pelos israelitas, levaram à idolatria e, em virtude desta, à destruição?

Mesmo assim me pedem que tenha coragem e dizem que agora tudo se acha protegido e seguro, uma vez que o magistrado não ordena o cumprimento de seus próprios decretos em matéria de religião, mas apenas os decretos da Igreja. Eu pergunto: de que Igreja? Obviamente, da igreja mais de seu agrado. Como se aquele que, mediante leis e punições, me faz entrar nessa ou naquela Igreja, não interpusesse seu próprio julgamento nesses assuntos. Que diferença faz se sou levado por ele ou se ele me entrega a outros para que me levem? Em ambos os casos dependo de sua vontade, e é ele que, nos dois casos, determina minha condição eterna. Estaria em melhor condição um judeu que tivesse cultuado Baal devido à ordem real porque lhe disseram que o rei nada ordenou de sua própria cabeça, nem ordenou nada aos seus súditos quanto ao culto divino, exceto o que tinha sido aprovado pelo concílio de sacerdotes e declarado direito divino pelos doutores de sua Igreja? Se a religião de alguma Igreja se tornasse verdadeira e salvadora simplesmente porque todos os seus prelados e sacerdotes, e membros dessa tribo, a louvam e exaltam, que religião poderia um dia ser considerada errada, falsa e destrutiva? Tenho, digamos, dúvidas acerca da doutrina dos socinianos; suspeito do culto dos papistas ou dos luteranos. Seria então mais seguro associar-me a alguma dessas Igrejas por ordem do magistrado, porque ele nada ordena em religião exceto segundo a autoridade e o conselho dos doutores dessa Igreja?

Mas, para dizer a verdade, devemos admitir que uma Igreja (se assim se pode denominar uma convenção de clérigos que formulam cânones) em larga medida é mais propensa a submeter-se à corte do que esta à Igreja. Conhecemos muito bem as vicissitudes por que passou a Igreja na época dos imperadores ortodoxos e arianos. E se essas épocas parecem demasiado remotas, a moderna história inglesa nos fornece exemplos mais recentes, nos reinados de Henrique VIII, Eduardo VI, Maria e Elisabete, da facilidade e rapidez com que o clero mudou seus decretos, seus artigos de fé, sua forma de culto, tudo de acordo com a inclinação desses reis e rainhas.

Mas como esses reis e rainhas sustentavam pontos de vista tão diferentes em questões de religião, e faziam vigorar coisas tão diversas, nenhum homem em posse de suas faculdades (eu quase disse "ninguém, exceto um ateu") ousaria afirmar que algum homem com sincera e reta reverência a Deus obedeceria, com a consciência tranquila, aos vários decretos deles. Em suma, nada se altera, na prescrição por um rei de leis sobre a religião de outro homem, que o rei aja com base em seu próprio julgamento ou segundo a autoridade eclesiástica e o conselho de outros. As decisões dos sacerdotes, cujas diferenças e disputas são muito bem conhecidas, não podem ser mais firmes e seguras do que as dele, nem podem todas as suas decisões em conjunto acrescentar nova força ao poder civil. Ainda que também se deva observar que os príncipes raramente têm alguma consideração pelas decisões de eclesiásticos que não favoreçam sua própria fé e maneira de culto.

Mas, em suma, a consideração essencial, que determina por inteiro essa controvérsia, é: mesmo que a opinião do magistrado em religião seja fundamentada e mesmo que o caminho que aponte seja verdadeiramente evangélico, se eu não estiver profundamente convicto disso em meu próprio espírito, não haverá garantia em seu seguimento. Nenhum caminho que eu trilhe contra os ditames de minha consciência jamais me levará às mansões dos abençoados. Posso enriquecer através de um ofício que não me agrada, posso ser curado de uma moléstia por um remédio no qual não confio, mas não posso ser salvo mediante uma religião na qual não confio, ou um culto que não me agrada. É inútil que um descrente assuma as manifestações externas da profissão de outro homem. Somente a fé e a sinceridade interior constituem coisas que agradam a Deus. Por mais promissor e aprovado, certo remédio pode não ter efeito no paciente se o estômago o rejeitar tão logo é ingerido e em vão se obrigará a ingerir um remédio um paciente cuja constituição peculiar por certo transformará aquele em veneno. Em uma palavra, seja qual for a dúvida em matéria de religião, há, contudo, algo indubitável: nenhuma religião pode ser útil e verdadeira para mim se não acredito que é verdadeira. Será, portanto, em vão que o magistrado compelirá seus súditos a pertencerem a certa comunhão religiosa a pretexto de salvar suas almas. Se eles acreditam, virão por sua própria vontade; se não acreditam, de nada lhes valerá vir. Em consequência, por maior que seja o pretexto de boa vontade e caridade, e cuidado da salvação da alma dos homens, estes não podem ser forçados a se salvar queiram ou não. Logo, deve-se, em última análise, deixá-los à sua própria consciência.

Tendo assim libertado todos os homens do domínio uns sobre os outros em assuntos religiosos, consideremos agora o que devem fazer. Todos os homens sabem e reconhecem que devemos cultuar Deus publicamente; que outra razão o faz compelir uns aos outros a se reunir em assembleias públicas? Por conseguinte, os homens, dotados dessa liberdade, devem fazer parte de alguma sociedade religiosa para se reunirem, não apenas para mútua edificação, mas para testemunhar perante o mundo que cultuam Deus e oferecem seus serviços à Divina Majestade, uma vez que não se sentem envergonhados por esses serviços, mas, pelo contrário, julgam valiosos e aceitáveis para Ele, e, finalmente, pela pureza de doutrina, santidade de vida e forma decente de culto, poderão encorajar outros a amar a verdadeira religião e a executar esses serviços religiosos que não podem ser realizados pelos homens isoladamente.

A essas sociedades religiosas denomino Igrejas; estas, afirmo, devem ser toleradas pelo magistrado, porque a atividade dessas assembleias de pessoas não é senão aquilo que é legal e apropriado que cada homem cuide em particular, a saber, a salvação de sua alma. Com respeito a isso não há nenhuma diferença entre a Igreja nacional e as outras congregações separadas dela.

Como em toda Igreja há dois aspectos fundamentais a ser considerados – a forma externa e os ritos de culto, e as doutrinas e os artigos de fé – cabe abordá-los em separado de modo a entender mais claramente toda a questão da tolerância. No tocante aos aspectos externos do culto, afirmo, antes de tudo, que o magistrado não pode fazer vigorar mediante lei, seja em sua própria Igreja, ou, menos ainda, na de outrem, o uso de quaisquer ritos ou cerimônias para cultuar Deus. E não apenas porque essas Igrejas são sociedades livres, mas também porque o que se pratica ao cultuar Deus tem como única justificativa o fato de que seus praticantes creem ser aceitável para Ele. Tudo o que for feito sem essa garantia de fé não é bom por si mesmo nem pode ser aceitável para Deus. Assim sendo, impor essas coisas a quem quer que seja, contrariando seu próprio juízo, é na verdade, dado que o propósito de toda religião é agradar a Deus e dado que essa liberdade é essencialmente necessária a esse propósito, ordenar-lhe que ofenda a Deus, algo que se afigura indescritivelmente absurdo. Talvez, contudo, se possa concluir disso que nego ao magistrado todo tipo de poder sobre coisas indiferentes, algo que, se não lhe for garantido, torna inútil toda a questão da legislação. Não! Apresso-me a reconhecer que as coisas indiferentes[3], e talvez apenas estas, estão sujeitas ao poder legislativo. Mas disso não decorre que o magistrado possa decretar tudo o que for de seu agrado acerca de qualquer coisa por ser ela indiferente. O bem público constitui a norma e a medida da elaboração de leis. O que não é útil à comunidade, por mais indiferente que seja, não pode, em razão desta sua condição, ser estabelecido pela lei.

Ademais, coisas que por sua própria natureza sejam indiferentes saem da jurisdição do magistrado ao serem incorporadas à Igreja e ao culto de Deus, deixando, então, nesse seu uso, de ter qualquer relação com os negócios civis. A única função da Igreja consiste em salvar almas, e não concerne de modo algum à comunidade, nem a qualquer membro dela, se essa ou aquela cerimônia é praticada. Nem a observância nem a omissão de quaisquer cerimônias nessas assembleias religiosas favorecem ou prejudicam a vida, a liberdade ou a propriedade de outrem. Por exemplo, admitamos que banhar o recém-nascido com água é em si mesmo uma coisa indiferente. Admitamos ainda que o magistrado é sabedor da utilidade do banho para curar ou evitar a predisposição das crianças a alguma doença, e que acredita igualmente que o assunto é importante o bastante para ser previsto por uma lei. Nesse caso, ele pode ordenar que se faça isso. Mas dirá alguém que, como decorrência disso, cabe ao magistrado legislar que todas as crianças sejam batizadas por sacerdotes na pia sagrada com o fito de purificar suas almas? Todos percebem, à primeira vista, que esses dois casos são extremamente diferentes. Vamos então aplicar este último caso a uma criança judia, e tudo se explica por si mesmo. Porque nada impede ao magistrado cristão ter súditos judeus. Ora, se admitimos que não se deve fazer ao judeu a ofensa de obrigá-lo, contra sua própria opinião, a praticar em sua religião algo que é por natureza indiferente, como podemos sustentar que algo desse jaez seja feito a um cristão?

De igual forma, as coisas indiferentes por natureza, pelo próprio fato de serem indiferentes, não podem, mediante autoridade humana, ser tornadas parte do culto divino. Porque, como as coisas indiferentes não são capazes, em decorrência de alguma virtude que lhes seja inerente, de propiciar à divindade, nenhum poder ou autoridade humanos pode conferir-lhes tamanha dignidade e excelência que as torne capazes de fazê-lo. Nas ações corriqueiras da vida, os usos das coisas indiferentes são livres e legais desde que não proibidos por Deus, e, por isso, se acham sujeitos à autoridade humana. Mas não é esse o caso com respeito à religião e aos assuntos sagrados. No culto a Deus, só são legítimas as coisas indiferentes que tenham sido instituídas pelo próprio Deus, e desde que Ele, mediante certa ordem positiva, tenha determinado que se tornassem uma parte do culto que condescenderá em aceitar das mãos dos pobres homens pecadores. Nem bastará, caso uma divindade enfurecida indague "Quem exigiu isso, e coisas parecidas, da parte de vós?", responder que foi ordem do magistrado. Se a jurisdição civil se estender a tal ponto, o que não se poderá introduzir legalmente na religião? Que confusão de cerimônias, que invenções supersticiosas, emanadas da autoridade do magistrado, não seriam (contrariando a consciência) impostas aos que cultuam Deus? Pois a maioria dessas cerimônias e superstições consiste no uso religioso de coisas que são, por natureza, indiferentes, e só são pecaminosas por não terem sido criadas por Deus. Espargir água e usar pão e vinho são, por sua natureza, e na vida ordinária, coisas totalmente indiferentes. Vai algum homem perguntar, em consequência, se essas coisas poderiam ter sido introduzidas na religião como parte do culto divino sem instituição divina? Se alguma autoridade humana ou poder civil pudesse fazer isso, por que não deveria igualmente impelir a ingerir peixe e beber cerveja no banquete sagrado como parte do culto divino? Por que não se deveria espargir sangue de animais nas igrejas, sofrer expiações por meio da água ou do fogo, e outras tantas coisas semelhantes? Eis que essas coisas, por mais indiferentes em seu uso cotidiano, ao serem incluídas no rito sagrado, sem autoridade divina, se tornam tão abomináveis a Deus como o sacrifício de um cão. E por que sacrificar um cão é tão abominável? Há alguma diferença entre um cão e um bode para a natureza divina, que permanece igual e infinitamente apartada de toda afinidade com a matéria, a não ser o fato de que Deus exigiu o emprego de um animal, e não de outro, em seu culto? Vê-se, portanto, que, por mais que dependam do poder do magistrado civil, mesmo assim não podem coisas indiferentes, com base nessa alegação, ser introduzidas na religião e impostas a assembleias religiosas, porque, no culto sagrado, elas deixam imediatamente de ser indiferentes. Quem cultua Deus o faz com a intenção de agradá-lo e alcançar seu favor. Mas isso não o pode fazer aquele que, sob o comando de outrem, oferece a Deus o que sabe que será desagradável a Ele, por não ser por Ele ordenado. Isso não é agradar a Deus, nem aplacar sua ira, mas pelo contrário, é, de modo consciente e deliberado, uma provocação a Ele mediante uma ofensa manifesta, algo absolutamente repugnante no que se refere à natureza e ao propósito do culto.

Mas alguém perguntará neste ponto: "Se nada há no culto divino deixado à decisão humana, por que as próprias Igrejas têm o poder de regular o tempo e o lugar do culto, e assim por diante?" A isso respondo que, no culto religioso, devemos distinguir entre o que é parte do próprio culto e o que é apenas circunstancial. Uma parte do culto consiste naquilo que se acredita ter sido exigido por Deus e que lhe é agradável, sendo, portanto, necessário. São circunstanciais as coisas que, embora não possam, em geral, ser omitidas do culto, permanecem indiferentes porque não há a seu respeito determinações específicas sobre suas formas ou variações particulares. São desse tipo o horário e lugar do culto, ou o hábito e a postura do fiel. Trata-se de coisas circunstanciais, e perfeitamente indiferentes, sobre as quais a vontade divina nada ordenou. Por exemplo, para os judeus, o horário e o lugar do culto e os hábitos dos que o oficiavam não eram simplesmente circunstanciais, mas parte do próprio culto, no qual, caso neles houvesse algum defeito ou alterações do que fora instituído, não se podia esperar que agradassem a Deus. Para os cristãos, porém, dada sua liberdade evangélica, trata-se de simples circunstâncias do culto com relação às quais a prudência de cada igreja pode determinar o que melhor serve à ordem, à decência e à edificação. Mas, mesmo nos termos do Evangelho, aqueles que creem que o primeiro ou o sétimo dia foi marcado por Deus e consagrado eternamente a seu culto, essa parcela do tempo não é uma circunstância, mas parte real do culto divino que não pode ser modificada nem ignorada.

Ademais, assim como não tem o poder de impor, mediante suas leis, ritos ou cerimônias a nenhuma Igreja, o magistrado também não pode proibir aqueles estabelecidos, aplicados e praticados por alguma Igreja, porque fazê-lo destruiria a própria Igreja, cujo propósito é o culto de Deus livremente formulado à sua maneira. Alguém pode indagar: seguindo essa regra, caso alguma congregação deseje sacrificar crianças, ou (como acusaram falsamente os cristãos do passado) mergulhar em promíscua libertinagem, bem como praticar semelhantes enormidades hediondas, deve o magistrado tolerá-las porque são praticadas em assembleias religiosas? A resposta é: Não! Essas coisas não são legais no curso da vida ordinária, nem na intimidade do lar, e, portanto, também não o são no culto a

Deus ou em uma reunião religiosa. Mas, a bem dizer, se qualquer grupo congregado em sua religião optar pelo sacrifício de um bezerro, discordo de que isso deva ser proibido por lei. Milibeu, que possui um bezerro, pode legalmente matá-lo e assar a porção que desejar, o que não causa danos nem prejuízo aos bens de outrem. E, pelo mesmo motivo, ele pode igualmente matar seu próprio bezerro em um culto religioso. Cabe aos fiéis ponderar se isso agrada ou não a Deus. Ao magistrado cabe apenas garantir que a comunidade não seja prejudicada, e que dano algum seja ocasionado a qualquer homem, seja em sua vida ou em sua propriedade. Nesses termos, aquilo que pode ser despendido em um banquete pode ser despendido em um sacrifício. Mas se porventura o estado de coisas fosse tal que o interesse da comunidade requeresse que por algum tempo toda matança de animais fosse proibida, a fim de aumentar o plantel destruído pela peste, quem não se dá conta de que, nesse caso, o magistrado poderia proibir todos os seus súditos de matarem quaisquer bezerros, qualquer que seja o uso? Nessa circunstância, a lei não foi prescrita para uma questão religiosa, mas para um assunto político, não sendo o sacrifício, mas matar bezerros, o alvo da proibição.

Vê-se, mediante tudo isso, a diferença entre a Igreja e a comunidade. O que quer que seja legal na comunidade não pode ser proibido pelo magistrado na Igreja. O que quer que seja permitido aos súditos para uso ordinário não pode nem deve ser proibido a nenhuma seita para propósitos sagrados. Se um homem pode legalmente comer pão ou beber vinho em sua própria casa, sentado ou ajoelhado, a lei civil não deve proibi-lo de fazer o mesmo no culto, embora na Igreja o uso do vinho e do pão seja bem diferente, sendo ali aplicado aos mistérios da fé e aos ritos do culto divino. Mas coisas prejudiciais à comunidade em seu uso ordinário e que são proibidas mediante leis decretadas para o bem geral não podem ser permitidas em ritos sagrados nas igrejas. Os magistrados devem, contudo, tomar o máximo cuidado de não abusarem de sua autoridade para, a pretexto do bem público, oprimirem qualquer Igreja. Mas podem perguntar: "Se certa Igreja é idólatra, deve isso também ser tolerado pelo magistrado?" A isso respondo: Que poder se pode outorgar ao magistrado para reprimir uma Igreja idólatra que não possa, igualmente, em algum tempo e lugar, ser usado para arruinar uma ortodoxa? Pois, como todos devem se lembrar, o poder civil é o mesmo em toda parte, e a religião de cada príncipe é ortodoxa para si mesma. Se, portanto, um tal poder for concedido ao magistrado civil, como o de Genebra, por exemplo, em questões religiosas, pode ele extirpar através da violência e do sangue, a religião ali considerada idólatra; e por direito semelhante outro magistrado, de algum país vizinho, pode oprimir a religião reformada, e, na Índia, a cristã. O poder civil poderia modificar tudo na religião ao bel-prazer do príncipe, ou não modificar nada. Uma vez que seja permitido introduzir algo por meio de leis e punições, pode não haver mais limites para isso, mas será igualmente legal alterar tudo de acordo com a regra da verdade formulada pelo próprio magistrado. Ninguém deve, em consequência, ser despojado de seus bens terrenos por motivo religioso. Nem mesmo os americanos, sujeitos a um príncipe cristão, devem ser punidos no corpo ou na propriedade por não abraçarem nossa fé e culto. Se estão persuadidos de que agradam a Deus observando os ritos de seu próprio país e de que vão alcançar a felicidade por meio destes, devem ser deixados em paz e com Deus.

Examinemos as raízes dessa questão. Eis o que se passou: um grupo pequeno e insignificante de cristãos, destituído de tudo, chega a um país pagão. Esses estrangeiros pedem aos nativos, em nome da humanidade comum, que lhes proporcionem o essencial à vida. Eles têm essas necessidades atendidas, conseguem habitações, e as duas raças terminam por formar um único povo. A religião cristã, graças a isso, cria raízes e se difunde nesse país, mas não se torna de imediato a mais forte. Enquanto é essa a situação, são preservadas entre eles a paz, a amizade, a fé e a justiça igual para todos. Com o tempo, entretanto, o magistrado se torna cristão e por esse motivo sua facção vem a ser a mais forte. Então, imediatamente todos os acordos são rompidos, e todos os direitos civis violados, a fim de extirpar a idolatria; e, a não ser que esses inocentes pagãos, que observam estritamente as regras da equidade e a lei da natureza, e de modo ofendendo as leis da sociedade, se esqueçam de seus antigos ritos, e adotem um novo e estranho, tiram-lhes as terras e as posses de seus antepassados, e talvez também lhes tirem a própria vida. Vemos, finalmente, com toda clareza, o que o zelo pela Igreja, associado ao desejo de domínio, é capaz de produzir, e com que facilidade a religião e o cuidado da salvação das almas servem de subterfúgio para a espoliação, a rapina e a ambição.

Ora, quem sustenta que a idolatria deve ser extirpada de toda parte mediante leis, punições, fogo e espada, poderia aplicar esse relato a si próprio. É que tanto na América como na Europa o motivo é o mesmo. E nenhum pagão lá, ou cristão dissidente aqui, pode, por algum direito, ver-se privado de suas propriedades pela facção corte-Igreja predominante; nem devem os direitos civis ser modificados ou violados, com base na religião, nem naquela nem nesta região. Ainda assim, alguns poderão afirmar que, sendo a idolatria um pecado, não se pode tolerá-la. Se dissessem que ela deve ser evitada, a inferência estaria correta. Mas do fato de ser um pecado não decorre que deva, portanto, ser punida pelo magistrado. Pois não é da competência do magistrado usar sua espada para punir, indiferentemente, tudo o que acredita ser um pecado contra Deus. É consenso entre os homens que a avareza, a indiferença ao sofrimento alheio, o ócio e muitas outras faltas semelhantes são pecados, mas ninguém algum dia afirmou que devam ser punidas pelo magistrado. A razão disso é que elas não prejudicam os direitos de outros homens nem perturbam a paz pública. Não, nem mesmo os pecados da mentira e do perjúrio são punidos por leis; exceto, em alguns casos, quando a baixeza moral ou a ofensa a Deus não são levadas em conta, mas apenas a dano causado aos vizinhos ou à comunidade. E se ocorrer, em outro país, de a religião cristã parecer falsa e ofensiva a Deus, aos olhos de um príncipe maometano ou pagão, não deverão os cristãos, pelas mesmas razões, e de modo semelhante, ser extirpados?

Pode-se aduzir ainda que, pela lei de Moisés, os idólatras deveriam ser expulsos. Sim, isso é verdade, pela lei de Moisés, mas de modo algum é obrigação de nós cristãos. Ninguém propõe que tudo que a lei de Moisés propõe em geral deva ser praticado pelos cristãos; mas nada de mais frívolo do que a distinção comum entre a lei moral, a judicial e a cerimonial, usadas ordinariamente pelos homens. Pois nenhuma lei positiva compele quaisquer pessoas, a não ser as que se enquadram nessa lei. "Ouve, ó Israel" limita suficientemente as obrigações para com a lei de Moisés apenas a esse povo. E essa consideração constitui uma resposta suficiente aos que desejam prescrever a pena capital aos idólatras seguindo a autoridade da lei de Moisés. Todavia, desenvolverei esse argumento mais pormenorizadamente.

Do ponto de vista da comunidade judaica, o caso dos idólatras se enquadrava em duas situações. A primeira abarcava aqueles que, tendo sido iniciados pelos ritos mosaicos e tornados cidadãos daquela comunidade, mais tarde abjuraram o culto do Deus de Israel. Esses eram considerados traidores e rebeldes, culpados de nada menos que alta traição. Porque a comunidade dos judeus, nisso diferindo de todas as outras, era uma teocracia absoluta; e não havia, nem podia haver, nenhuma distinção entre a Igreja e a comunidade. As leis ali estabelecidas acerca do culto da divindade una invisível constituíam as leis civis daquele povo e eram parte de seu governo político, cujo legislador era o próprio Deus. Ora, se puderem me provar a existência em nosso tempo de alguma comunidade instituída com esses fundamentos, admitirei que suas leis eclesiásticas são ali inevitavelmente parte da lei civil, e que todos os súditos desse governo podem e devem ser mantidos em estrita conformidade com essa Igreja pelo poder civil. Mas não existe de modo algum, no Evangelho, algo que se assemelhe a uma comunidade civil cristã. Há, naturalmente, muitos reinos e cidades que abraçaram a fé cristã, mas estes preservaram sua antiga forma de governo, na qual a lei de Cristo em nada interferiu. Ele na verdade ensinou aos homens como, por meio da fé e das boas obras, podiam alcançar a vida eterna, sem, no entanto, instituir alguma comunidade. Ele não prescreveu aos seguidores nenhuma forma nova e peculiar de governo nem pôs a espada na mão do magistrado, facultando-lhe o uso desta para obrigar os homens a renunciar à antiga religião que praticavam e aceitar a sua.

A segunda situação era que a dos estrangeiros, ou estranhos à comunidade de Israel, que não eram compelidos pela força a aceitar os ritos da lei mosaica; pelo contrário! Precisamente no parágrafo em que se ordena que um israelita idólatra seja condenado à morte (Ex 22,20-21), a lei prevê que ninguém deve humilhar ou oprimir um estranho. Admito que as sete nações que ocupavam a Terra Prometida aos israelitas viriam mais tarde a ser praticamente dizimadas, mas não simplesmente porque eram idólatras. Se essa tivesse sido a razão, por que os moabitas e outras tribos foram poupados? Não. O motivo é que Deus, sendo de uma maneira peculiar o Rei dos Judeus, não podia suportar a adoração de nenhuma outra divindade em seu reino, isto é, na terra de Canaã, pois isto constituía propriamente um ato de alta traição contra Ele. Porque essa manifesta rebelião, em última análise, não era compatível com seu domínio, que naquele país era claramente político. Por conseguinte, toda idolatria deveria ser excluída das fronteiras de seu reino, porque equivalia a reconhecer outro deus, isto é, outro rei, contrariando as leis de domínio. Os habitantes também deveriam ser expulsos, para que toda a terra pudesse ser dada aos israelitas. E por razão semelhante os emins e horins foram expulsos de seus territórios pelos filhos de Esaú e Lot, e suas terras, pelos mesmos motivos, foram dadas por Deus aos invasores (Dt 2). Mas, embora toda idolatria fosse, desse modo, expelida da terra de Canaã, nem todo idólatra foi executado. A família inteira de Rahabe e toda a nação dos gibeonitas fizeram um pacto com Josué e ficaram livres. Afora isso, havia muitos cativos entre os judeus que eram idólatras. Davi e Salomão conquistaram muitos países fora dos limites da Terra Prometida, levando suas conquistas até o Eufrates. Entre tantos prisioneiros, entre tantos povos sujeitos a lhes obedecer, não houve um único obrigado a aceitar a religião judaica e o culto do Deus verdadeiro, nem punido por idolatria, embora todos fossem culpados disso. Na verdade, quem se tornasse um prosélito e quisesse adquirir cidadania em sua comunidade estava obrigado a aceitar as suas leis, isto é, a abraçar sua religião. Mas o fazia espontaneamente, por sua livre vontade, não coagido pelo governador. Não se submetia a contragosto a fim de mostrar obediência, mas a buscava e a pedia como um privilégio. Assim que se tornasse um cidadão, submetia-se às leis da comunidade, que proibiam a idolatria no âmbito das fronteiras da terra de Canaã. Mas essa lei, como eu disse, não se estendia a nenhuma região, ainda que sob o domínio dos judeus, situada além dessas fronteiras.

Até o momento falei do culto externo. Consideremos agora os artigos de fé. Alguns artigos da religião[4] são práticos e, outros, especulativos. Ainda que ambos os tipos se constituam em conhecimento da verdade, estes últimos alcançam simplesmente o entendimento, ao passo que aqueles influenciam a vontade e os costumes. Disso se segue que opiniões e artigos de fé (como são denominados) de cunho especulativo, aqueles com relação aos quais se exige apenas crença, de modo algum podem ser impostos a qualquer Igreja pela lei do país. Porque é absurdo que se ordenem por leis coisas cuja realização não está no poder dos homens. E crer que isso ou aquilo é verdadeiro não depende de nossa vontade. Mas já foi dito o suficiente a esse respeito. Nesse caso, dirão alguns, que ao menos deixemos os homens professarem que creem. Com efeito, que bela religião aquela que obriga os homens a fingir e mentir a Deus e aos homens em nome da salvação da alma! Se o magistrado julga poder salvar assim os homens, ele parece pouco entender do caminho da salvação. E, se não o faz a fim de salvá-los, por que demonstra tanta preocupação a respeito dos artigos de fé a ponto de torná-los obrigatórios por lei?

Além disso, o magistrado não deve proibir que se preguem ou se professem quaisquer opiniões especulativas em qualquer igreja, pois estas de modo algum dizem respeito aos direitos civis dos homens. Se um católico romano acredita ser realmente o corpo de Cristo aquilo que outro homem chama de pão, isso não é causa de prejuízo ao próximo. Se um judeu não acredita que o Novo Testamento seja a palavra de Deus, isso em nada altera os direitos civis. Se um pagão duvida dos dois Testamentos, não se deve por isso puni-lo como cidadão pernicioso. O poder do magistrado e as propriedades dos cidadãos estão igualmente seguros quer alguém creia ou não nessas coisas. Admito de pronto que essas opiniões são falsas e absurdas. Mas o propósito das leis não é proporcionar a verdade das opiniões, mas a segurança e proteção da comunidade, e da pessoa e dos bens de cada homem particular. E assim deve ser. Porque a verdade de fato seria bem-servida se lhe permitissem mudar por si mesma. Ela raramente recebeu, e temo que jamais receberá, muita assistência do poder dos grandes homens, que poucas vezes a reconhecem e menos ainda a acolhem. Ela não é ensinada pelas leis, nem requer força para adentrar o espírito dos homens. São na verdade os erros que prevalecem devido ao auxílio de benfeitores alheios e postiços. Mas se a verdade não conseguir instalar-se no entendimento por sua própria luz, será ela ainda mais fraca se contar com alguma força postiça advinda da violência. Isso é suficiente sobre as opiniões especulativas. Passemos às opiniões práticas.

Uma boa vida, de que a religião e a piedade sincera são parte não negligenciável, diz respeito também ao governo civil, e nela reside a salvação tanto das almas dos homens como da comunidade. As ações morais, portanto, estão sob a jurisdição, tanto da corte externa como da interna, do governo civil e do foro íntimo, ou seja, o magistrado e a consciência[5]. Há, pois, aqui, o perigo de que uma dessas jurisdições venha a infringir o direito da outra, fazendo nascer a discórdia entre os guardiães da paz pública e os cuidadores da alma. Se, contudo, for corretamente considerado o que afirmei acima acerca dos limites desses dois governos, toda dificuldade nesta matéria será facilmente removida.

Todo homem possui uma alma imortal, capaz de alcançar felicidade ou tormento eternos; a salvação da alma depende de sua crença e da realização nesta vida dos atos que sejam necessários para se obter o favor de Deus, e que foram prescritos por Deus para esse fim. Disso decorre, em primeiro lugar, que a observância dessas coisas é a maior obrigação que recai sobre a humanidade e que se deve empregar o máximo cuidado, aplicação e diligência para buscá-las e realizá-las, pois não há nada neste mundo que mereça atenção comparável à eternidade; e, em segundo, que, uma vez que um homem não viole os direitos de outrem devido a opiniões errôneas suas ou impropriedades no culto, e considerando que sua perdição não prejudica outrem, segue-se que cuidar de sua própria salvação é algo pertinente a cada pessoa particular. Mas não me apraz que se entenda isso como um modo de condenar todas as admoestações caridosas e esforços amorosos voltados para livrar os homens de erros, os quais constituem de fato o maior dever dos cristãos. Qualquer um pode empregar quantas exortações e argumentos lhe agradar para promover a salvação de outrem, mas deve evitar toda força e coerção. Nada deve ser feito com arrogância. Nesses assuntos, ninguém é obrigado a obedecer às admoestações ou injunções de outro, exceto aquelas de que ele mesmo esteja convencido. Quanto a isso, todo homem tem autoridade suprema e absoluta para julgar por si mesmo, decorrência do fato de que ninguém mais está preocupado com isso nem pode ser prejudicado devido à sua conduta quanto ao assunto.

Contudo, além de sua alma, que é imortal, os homens têm sua vida temporal neste mundo. Sendo ela precária e fugidia, e de duração incerta, os homens carecem, para sustentá-la, de várias conveniências terrenas, que devem obter, ou preservar, com labuta e diligência. É que as coisas necessárias à manutenção satisfatória de nossa vida não são produtos espontâneos da natureza, nem se oferecem prontos e apropriados para nosso uso. Esse aspecto de sua vida, portanto, requer outros cuidados e implica outros empenhos. Contudo, é tamanha a corrupção da humanidade que a maioria prefere apropriar-se abusivamente dos frutos do trabalho de outros homens a envidar esforços para se prover do necessário, a necessidade de manter os homens de posse daquilo que a labuta honesta lhes propiciou, bem como de preservar sua liberdade e força, que são seus recursos para atender ao que mais aspirem a ter, obriga os homens a entrar em sociedade uns com os outros, de modo que, mediante a assistência mútua e a conjugação de forças, possam garantir uns aos outros suas propriedades, na forma de coisas que contribuem para o bem-estar e a felicidade nesta vida. Ao mesmo tempo, devem deixar a cada homem o cuidado de sua própria salvação eterna, cuja obtenção não pode ser facilitada pela diligência de outro homem e cuja perda não traz danos a outro homem, do mesmo modo como a esperança de alcançar não lhe pode ser tirada por nenhuma força. No entanto, como os homens que assim entram em sociedades, com base em acordos mútuos de assistência para a defesa de seus bens temporais, podem ser, não obstante, privados deles, seja pelo saque e fraude de seus concidadãos ou pela violência hostil de estrangeiros, o remédio para um dado mal consistirá em armas, riqueza e união entre os cidadãos; o remédio para outros são as leis. E o cuidado de todas as coisas vinculadas a um mal e ao outro é confiado pela sociedade ao magistrado civil. Aqui temos a origem, o uso e os limites do poder legislativo, que é o poder supremo, em toda comunidade. Explico-me: ele deve prover segurança para as posses particulares de cada homem, bem como para a paz, a riqueza e os bens públicos de todo o povo; e, na medida do possível, para o aumento de sua própria força contra invasões estrangeiras.

Sendo isso assim esclarecido, é fácil entender que propósito deve ter o poder legislativo, e os critérios pelos quais se deve regular: o bem temporal e a prosperidade material da sociedade, aquilo que constitui a única razão para os homens entrarem em sociedade e o único objeto e meta que buscam alcançar naquela. Fica igualmente claro que, quanto à liberdade facultada aos homens em assuntos que dizem respeito à salvação eterna, cada um deve fazer aquilo que sua consciência está convencida de ser agradável ao Todo-poderoso, de cujo agrado e aceitação dependem a felicidade eterna. Porque se deve, antes de tudo, obediência a Deus, e, depois, às leis.

Porém alguns podem perguntar: "E se o magistrado prescrever algo que pareça ilegítimo à consciência de uma pessoa privada"? Respondo que, se o governo é fielmente administrado e os conselhos do magistrado são de fato em favor do bem público, isso raramente ocorrerá. Mas, caso venha a acontecer, afirmo que a pessoa deve abster-se de uma ação que julgue ilegítima, embora tenha de se submeter ao castigo, visto que suportá-lo não é ilegítimo. Deve-se isso ao fato de o julgamento particular de qualquer pessoa com relação a uma lei referente a assuntos políticos, visando ao bem público, não anular a obrigação dessa lei, nem fazer jus a exceção. Se, no entanto, a lei de fato diz respeito a coisas que estão fora da alçada do magistrado (como, por exemplo, que o povo, ou alguma parte dele, seja obrigado a aceitar religião estranha e adotar novos ritos), os homens não estão nesse caso obrigados a cumprir essa lei contra sua consciência. Porque a sociedade política não é instituída para nenhum outro fim senão o de garantir a cada homem a posse de coisas desta vida. O cuidado da alma e dos assuntos espirituais de cada homem, que não competem ao Estado nem podem a ele subordinar-se, cabe exclusivamente a cada indivíduo. Assim, a salvaguarda da vida dos homens e das coisas que pertencem a esta vida é função da comunidade, e a preservação delas para seus possuidores constitui o dever do magistrado. Por conseguinte, não pode o magistrado, a seu bel-prazer, tirar essas coisas terrenas de um homem ou grupo e dá-las a outro, nem dar a propriedade de um a outro, nem mesmo pela lei, fundado por uma causa que não tem relação com o propósito do governo civil, quero dizer, por motivos de religião, a qual, seja verdadeira ou falsa, não prejudica os interesses temporais dos concidadãos, que constituem as únicas coisas que estão aos cuidados da comunidade.

E se o magistrado acredita que essa lei é feita com vistas ao bem público? Respondo: Assim como o julgamento privado de qualquer pessoa particular, se equivocado, não a isenta do cumprimento da lei, o julgamento privado (como o denomino) do magistrado não lhe confere nenhum novo direito de impor a seus súditos leis que não sejam previstas pela constituição do governo que lhe foi outorgado e que nem mesmo o povo tem o poder de conceder, mormente se o magistrado se empenhar em tornar ricos e prósperos seus seguidores e os membros de sua seita com o espólio dos outros. E se o magistrado acredita que tem o direito de elaborar essas leis e que elas estão voltadas para o bem público, embora seus súditos acreditem no contrário? Quem será o juiz entre eles? Respondo: Somente Deus, porque não há juiz na terra entre o magistrado e o povo. Afirmo que, nesse caso, apenas Deus é o juiz, pois Ele no juízo final pagará a cada um segundo o que merecer, isto é, de acordo com a sinceridade e retidão de cada um na promoção da piedade, do bem público e da paz da humanidade. Mas o que deverá ser feito entrementes? A resposta é: O cuidado primordial do homem é antes de tudo com sua própria alma, e, em seguida, com a paz pública, embora bem poucos pensem que existe paz onde veem tudo devastado. Há dois tipos de controvérsias entre os homens, uma a cargo da lei e a outra da força, e é tal sua natureza que uma sempre começa onde a outra acaba. Mas não é minha tarefa inquirir sobre os direitos dos magistrados nas diferentes constituições das nações. Sei apenas o que costuma ocorrer quando surgem controvérsias na ausência de um juiz que decida sobre elas. Dirão nesse caso que, sendo o mais forte, o magistrado fará predominar sua vontade e defenderá seu ponto de vista. Sem dúvida, mas a questão aqui não concerne a casos duvidosos, mas ao regime de direito.

Contudo, para retomar casos particulares, afirmo, em primeiro lugar, que não devem ser toleradas pelo magistrado opiniões contrárias à sociedade humana ou às regras morais que são necessárias à preservação da sociedade civil. Mas exemplos desse tipo são, sem dúvida, raros em todas as Igrejas. Porque nenhuma seita pode chegar facilmente a tamanho grau de insanidade que a faça julgar adequado ensinar, como doutrinas da religião, coisas que solapem manifestamente os fundamentos da sociedade, e que são, em consequência, condenadas pelo julgamento da humanidade, pois isso colocaria tudo em risco, seu próprio interesse, a paz e a reputação.

Um mal mais sub-reptício, e, no entanto, mais perigoso para a comunidade, ocorre quando os homens se atribuem a si mesmos, e aos de sua própria seita, alguma prerrogativa peculiar, encoberta por palavras enganosas, mas na verdade contrária ao direito civil da sociedade. Por exemplo: não encontramos uma seita que ensine, expressa e abertamente, que os homens não devem manter sua palavra, que um príncipe pode ser destronado por quem discordar dele em matéria de religião ou que o domínio de todas as coisas é privilégio seu. Porque essas noções, propostas crua e diretamente, levariam imediatamente o magistrado a lançar os olhos e as mãos sobre essa seita, atraindo toda a atenção da comunidade para prevenir que esse tão grave mal se dissemine. Não obstante, encontramos quem diga o mesmo com outras palavras. Que pretendem dizer aqueles que ensinam que não se deve cumprir a promessa feita a hereges? Decerto que o privilégio de transgredir o prometido lhes pertence, porque condenam como hereges todos os que não são de sua comunhão, ou, pelo menos, podem assim condenar quem lhes aprouver. Qual o sentido de sua afirmação de que reis excomungados perdem seus reinos e coroas? Fica claro que, assim agindo, eles se arrogam o poder de depor reis, de vez que reivindicam a excomunhão como direito exclusivo de sua hierarquia. Alegar que o domínio está fundado na graça também constitui uma afirmativa mediante a qual quem a sustenta reivindica a posse de todas as coisas, porque não serão tão modestos a ponto de não acreditarem, ou ao menos professarem, que eles próprios são os verdadeiramente piedosos e fiéis. Assim, pois, quanto àqueles (e outros semelhantes) que atribuem aos fiéis, aos religiosos e aos ortodoxos, isto é, cruamente, a si mesmos, quaisquer privilégios ou poderes acima de outros mortais, em assuntos civis, ou que, a pretexto da religião, reivindicam alguma espécie de autoridade sobre aqueles que não estão associados à sua comunidade eclesiástica, digo que não lhes cabe quaisquer direitos a serem tolerados pelo magistrado, e tampouco os cabe aqueles que não praticam e se recusam a ensinar o dever de tolerar todos os homens em matérias puramente religiosas. Pois que mais essas doutrinas e outras semelhantes significam senão que estão prontos a aproveitar e aproveitarão toda oportunidade de apropriar-se do governo e apossar-se de todos os bens e riquezas da comunidade, a liberdade e propriedade dos cidadãos, e que só pedem para ser tolerados pelo magistrado enquanto não estiverem fortes o suficiente para levá-lo a efeito?

Repito: Não tem o direito de ser tolerada pelo magistrado a Igreja constituída de modo tal que todos seus membros *ipso facto* se põem, por essa sua condição, sob a proteção, e a serviço, de outro príncipe. Porque com essa medida o magistrado permitiria o estabelecimento de uma jurisdição estrangeira em seu próprio país e que seu próprio povo fosse, por assim dizer, alistado como soldado contra seu próprio governo. Nem iria ser remédio para essa inconveniência a frívola e falaciosa distinção entre a Corte e a Igreja, uma vez que, estando uma e outra igualmente submetidas à autoridade absoluta da mesma pessoa, que não apenas pode persuadir os membros da própria Igreja a aceitar tudo que lhe aprouver, sejam coisas puramente religiosas, ou com estas associadas, mas também obrigá-las sob pena de fogo eterno. É absurdo alguém se denominar maometano somente em matéria de religião, sendo em tudo o mais súdito fiel de magistrado cristão, ao mesmo tempo em que reconhece dever cega obediência ao mufti de Constantinopla, o qual, por sua vez, é totalmente obediente ao imperador otomano, formulando os falsos oráculos dessa religião como apraz a este último. Porém esse maometano que vive entre cristãos mais obviamente repudiaria o governo destes se reconhecesse a mesma pessoa como chefe de sua Igreja e supremo magistrado do Estado.

Por fim, não devem ser de modo algum tolerados aqueles que negam a existência de Deus. As promessas, pactos e juramentos, que são os vínculos da sociedade humana, não podem comprometer um ateu. A supressão de Deus, mesmo que apenas em pensamento, a tudo dissolve; ademais, aqueles que, devido a seu ateísmo, solapam e destroem toda religião, não podem ter um motivo religioso para reivindicar para si mesmos o privilégio da tolerância. Quanto às outras opiniões práticas, embora não totalmente isentas de erros, desde que não tendam a estabelecer domínio sobre outrem, ou impunidade civil para a Igreja em que são ensinadas, não pode haver razão para que não devam ser toleradas.

Resta-me dizer algo acerca das assembleias, vulgarmente chamadas de conventículos, e que talvez alguma vez tenham algo dessa natureza e sejam focos de facções e de sedições, que são tidas como obstáculos à doutrina da tolerância. Mas isso não aconteceu devido a algo peculiar à índole dessas assembleias, porém por causa de circunstâncias infelizes de liberdade oprimida ou malformulada. Essas acusações cessariam imediatamente se a lei da tolerância se estabelecesse de modo tal que todas as Igrejas tivessem a obrigação de assentar a tolerância como fundamento de sua própria liberdade, bem como ensinassem que a liberdade de consciência é direito natural dos homens, cabendo igualmente a dissidentes e a elas mesmas, e que, em matéria de religião, ninguém deveria ser coagido por qualquer lei ou força. O estabelecimento desse único princípio suprimiria todos os motivos de reclamações e tumultos por motivos de consciência; e, uma vez removidas essas causas de descontentamentos e animosidades, nada restaria nessas assembleias que não fosse mais pacífico e menos propício à geração de distúrbios políticos do que quaisquer outras reuniões.

Mas examinemos pormenorizadamente o teor dessas acusações. Alguns dirão que as assembleias e reuniões põem em risco a paz pública e ameaçam a comunidade. Respondo: Se assim for, por que há diariamente grande aglomeração no mercado e nos tribunais de justiça? Por que os homens se amontoam em corporações e se comprimem nas cidades? Alguns replicarão: "Essas assembleias são civis, enquanto as que estamos criticando são eclesiásticas". A isso respondo: Sugere-se então que as assembleias mais distantes dos negócios civis são as mais aptas a complicá-los? Ah, mas as assembleias civis são compostas de homens que diferem uns dos outros em questões de religião, ao passo que as reuniões eclesiásticas são de pessoas que compartilham as mesmas opiniões. É como se a concordância em matérias religiosas fosse na verdade uma conspiração contra a comunidade, ou como se os homens não sejam tanto mais ardentemente unânimes em religião quanto menor seja sua liberdade de reunião. Mas ainda assim vão insistir que as assembleias civis são abertas e franqueadas a quem quiser entrar, ao passo que os conventículos religiosos são mais fechados e, em consequência, dão ensejo a maquinações clandestinas. Replico que isso não é estritamente verdadeiro, pois muitas assembleias civis não são franqueadas a todos. Se, no entanto, certas reuniões religiosas são privadas, quem (pergunto) deve ser censurado por isso – os que desejam que assim sejam ou aqueles que as proibiram de ser públicas? Mais uma vez, dirão que a comunhão em assuntos sagrados estabelece entre as mentes e os sentimentos dos homens um vínculo excepcionalmente mais forte, sendo, portanto, ainda mais perigosa. Se assim é, por que o magistrado não teme sua própria Igreja e por que não proíbe suas assembleias como ameaças a seu governo? A resposta que dão é: porque ele é membro e mesmo chefe dela. Como se ele não fosse também parte da comunidade, o chefe de todo o povo!

Vamos então falar francamente. O magistrado teme outras igrejas, e não a sua, porque trata bem de sua igreja, e a favorece, mas é severo e cruel com as outras. Aquela é tratada por ele como se fosse uma criança, que faz vistas grossas até de suas travessuras. Estas, por mais impecável seu comportamento, são por ele escravizadas, e as recompensa apenas com trabalho forçado, prisão, confiscos e morte. Enquanto favorece uma, as outras são constantemente castigadas e oprimidas. Mas se ele muda de posição, ou se os dissidentes gozam das mesmas liberdades civis dos outros cidadãos, ele imediatamente deixa de ver essas reuniões religiosas como perigosas. Porque os homens participam de sediciosas conspirações não porque a religião os inspire a fazê-lo, mas porque os sofrimentos e a opressão os incitam a aliviar sua situação. Governos justos e moderados são em toda parte tranquilos, seguros em todos os lugares; mas a opressão incita distúrbios e faz que os homens se empenhem em tirar dos ombros um jugo incômodo e tirânico. Sei que as sedições muito frequentemente usam o pretexto da religião; mas é igualmente verdadeiro que, em nome da religião, os súditos são frequentemente maltratados e vivem na infelicidade. Creiam-me: esses distúrbios não resultam da índole particular dessa ou daquela Igreja ou sociedade religiosa, mas da disposição comum de toda a humanidade, que, quando paga o ônus do sofrimento injusto, tenta se livrar da canga que lhe irrita o pescoço. Suponhamos que se exclua a religião desse âmbito, e que se estabeleça alguma outra distinção entre os homens de acordo com sua compleição, formas e atributos físicos, e que, por exemplo, os homens de cabelos pretos ou olhos verdes não privassem dos mesmos direitos dos outros cidadãos: que não lhes fosse permitido comprar ou vender ou viver de algum ofício; que os pais fossem despojados de autoridade perante seus filhos, e impedidos de educá-los; que fossem quer excluídos dos tribunais ou deparassem com juízes parciais – quem duvida de que o magistrado consideraria essas pessoas, que se distinguem das outras apenas pela cor dos cabelos e dos olhos, e estão unidas entre si tão somente pela perseguição comum, tão perigosas quanto as que se tivessem associado por motivos religiosos? Alguns se associam por negócio e lucro e, outros, a quem sobra tempo, a clubes recreativos. Mas há somente uma coisa que reúne as pessoas para a sedição, a saber, a opressão.

Alguns dirão: "Ora, pretende-se que as pessoas se reúnam para serviços divinos contra a vontade do magistrado?" Por que – suplico que me digam – contra a vontade dele? Não é tanto legítimo quanto necessário que se reúnam? Contra a vontade do magistrado – dizem. É disso de que me queixo; eis a própria raiz do problema. Por que seriam as reuniões menos admissíveis na igreja do que no teatro ou no mercado? Aqueles que se reúnem em uns não são mais viciosos ou turbulentos do que os que reúnem em outros. A questão é que as pessoas são maltratadas e, portanto, não se pode suportá-las. Suprima-se a discriminação legal usada contra elas em questões de direito comum; mudem-se as leis; suspendam-se as penas a que são submetidas – e tudo se tornará de imediato seguro e tranquilo. Na verdade, aqueles que são avessos à religião do magistrado vão estar mais propensos a manter a paz na comunidade porque estarão em melhor situação nesse lugar do que em qualquer outro. E todas as congregações distintas, na qualidade de guardiãs da paz pública, vão fiscalizar umas às outras, para que nada se inove ou se altere na forma do governo, porque não podem esperar nada melhor do que aquilo de que já desfrutam, isto é, igualdade de condições com seus concidadãos sob um governo justo e moderado. Ora, se se considera a Igreja que concorda com o príncipe em matéria de religião o principal apoio de todo governo civil, pelo simples motivo (já demonstrado) de o príncipe ser bondoso com ela e de as leis lhe serem favoráveis, não será bem maior a segurança do governo de que todos os súditos passem a ser seu apoio comum e sua proteção ali onde, seja qual for a Igreja a que pertençam, sem nenhuma distinção por causa da religião, todos os súditos gozem de igual favor do príncipe e igual benefício das leis, e onde ninguém, exceto os que causam danos ao próximo e ofendem a paz civil, tenha motivos para temer a severidade das leis?

Para podermos chegar a uma conclusão, afirmo: Tudo o que desejamos é que cada homem possa usufruir dos mesmos direitos concedidos aos outros. É permitido cultuar Deus à maneira (católica) romana? Que também seja permitido fazê-lo à maneira de Genebra. É permitido falar latim na praça do mercado? Que se permita aos que assim desejarem que também o façam na igreja. É legítimo que todo homem se ajoelhe, fique de pé, sente-se ou assuma a postura que desejar em sua própria casa? Vestir-se de branco ou preto, de roupas curtas ou compridas? Que então não se torne ilegítimo comer pão, beber vinho ou lavar-se com água na igreja.

Em suma, tudo o que a lei permite na vida diária deve ser permitido a toda Igreja no culto divino. Que nenhuma forma de dano sofram a vida, o corpo, a casa ou a propriedade de quem quer que seja por esses motivos. Pode-se permitir a disciplina presbiteriana? Por que não permitir igualmente a Igreja episcopal? A autoridade eclesiástica, seja administrada por uma ou várias pessoas, é a mesma em toda parte; e nem tem jurisdição sobre questões civis nem poder algum de coerção ou alguma relação com riquezas e rendas anuais. Essas reuniões eclesiásticas e sermões se justificam segundo a experiência cotidiana e a aceitação pública. Se elas são permitidas a cidadãos de certa Igreja ou seita, por que não aos de todas? Se ocorrer em uma reunião religiosa alguma conspiração contra a paz pública, deve ela ser reprimida do mesmo modo e não diversamente do que o seria se tivesse ocorrido na feira ou no mercado. Se um sermão numa igreja contém algo sedicioso, deve ser punido da mesma maneira como se tivesse sido pregado na praça do mercado. Essas reuniões não devem ser santuários para homens facciosos ou malfeitores. Nem deve uma reunião na igreja ser menos legal do que na corte, ou uma parte dos cidadãos ser mais repreensível por se reunir do que outras. Todos devem se responsabilizar por suas próprias ações, e ninguém deve se tornar objeto de ódio ou suspeita devido às faltas de outros. Deve-se punir e reprimir homens sediciosos, assassinos, ladrões, adúlteros, caluniadores etc., não importa a que Igreja pertençam, seja ela nacional ou não. Mas aqueles cuja doutrina é pacífica e cujo comportamento é puro e virtuoso devem estar em termos de igualdade com os seus concidadãos. Por isso, se se permite a uma dada confissão assembleias solenes, celebrações de dias festivos e culto público, tudo isso deve ser igualmente permitido a presbiterianos, independentes, anabatistas, arminianos, quacres e outros. Na verdade, se pudermos falar francamente, como convém nas relações entre homens, não devemos privar os pagãos, os maometanos ou os judeus de direitos civis por causa de sua religião. O Evangelho não ordena isso. A Igreja, que "não julga os que estão de fora" (1Cor 5,12.13), não o deseja. E a comunidade, que acolhe indiferentemente homens que sejam honestos, pacíficos e trabalhadores, não o exige. Permitiremos ao pagão que trate e negocie conosco, mas vamos proibí-lo de rezar e prestar culto a Deus? Se permitimos aos judeus terem propriedades e casas próprias, por que não lhes permitir que tenham sinagogas? Será a doutrina deles mais falsa, seu culto mais abominável e a paz civil mais ameaçada por sua reunião em público do que em casas particulares? Havendo a concessão dessas coisas aos judeus e pagãos, a condição de quaisquer cristãos por certo não deverá ser pior do que a daqueles em uma comunidade cristã.

Talvez digam: "É certo que deve ser pior, pois estes estão mais inclinados a facções, tumultos e guerras civis". Mas rogo que me digam se a culpa disso cabe à religião cristã? Se assim for, a religião cristã será de fato a pior de todas as religiões, e nem deve ser abraçada por alguma pessoa particular nem tolerada em nenhuma comunidade. Porque se for do espírito, da natureza, da religião cristã, ser turbulenta e destruidora da paz civil, a própria Igreja que o magistrado favorece nem sempre será inocente. Mas longe de nós afirmar algo semelhante dessa religião que mais se opõe à cobiça, à ambição, à discórdia, às disputas e a todo tipo de desejos imoderados, e é a mais modesta e pacífica das religiões que já existiram. Assim, devemos buscar outra causa para os males que se atribuem à religião. E se consideramos corretamente, descobriremos que a causa se constitui por inteiro do assunto que estou discutindo. Não é a diversidade de opiniões (que não pode ser evitada), mas a recusa de tolerância para com os que têm opiniões diversas (que deveriam ser admitidas), que deu origem à maioria das disputas e guerras que se têm manifestado no mundo cristão por motivos religiosos. Os mandatários e líderes da Igreja, movidos pela avareza e o desejo insaciável de domínio, recorrem à ambição imoderada de magistrados e à crédula superstição da turba para excitá-los e avivá-los contra aqueles que deles discordam, pregando, em oposição às leis do Evangelho e aos preceitos da caridade, que os cismáticos e hereges sejam despojados de suas posses e destruídos. Assim agindo, misturam e confundem duas coisas completamente distintas, a Igreja e a comunidade. Ora, é difícil que os homens aceitem pacientemente ser despojados dos bens que adquiriram com seu trabalho honesto, e, contrariamente a todas as leis da equidade, não só humanas como divinas, ser entregues como presa à violência e rapinagem de outros homens, especialmente quando são inteiramente destituídos de culpa. Acresce que a situação na qual são assim tratados de modo algum diz respeito à jurisdição do magistrado, mas inteiramente à consciência individual de cada homem particular na condução daquilo de que só tem de prestar contas a Deus. Que mais se poderia esperar senão que esses homens, preocupados com os males de que são vítimas, acabem por se convencer de que é justo combater a força pela força, e defender com as armas de que disponham seus direitos naturais, que não lhes podem ser tirados por causa da religião? A história prova abundantemente que este tem sido o curso ordinário dos eventos, e a razão percebe com clareza que continuará a ser. E, com efeito, não poderá ser de outro modo se o princípio de perseguição religiosa prevalecer, como o fez até aqui, tanto da parte do magistrado como do povo, e enquanto aqueles que deveriam ser pregadores da paz e da concórdia continuarem, com seus artifícios e forças, a incitar os homens às armas e a soar a trombeta de guerra. Poderia causar justo espanto o fato de os magistrados tolerarem esses incendiários e perturbadores da paz pública, se não transparecesse que eles foram convidados para participar do espólio, tendo assim julgado apropriado fazer da própria cobiça e orgulho meios de aumentar seu próprio poder. Pois quem não vê que esses bons homens são em verdade mais ministros do governo do que ministros do Evangelho e que, adulando a ambição e favorecendo o domínio dos príncipes e homens de autoridade, devotam-se com todas as suas energias a estabelecer na comunidade a tirania que de outro modo não seriam capazes de estabelecer na Igreja? Esse tem sido o infeliz acordo que vemos entre Igreja e Estado. Mas se cada um deles se restringisse a suas fronteiras – um cuidando apenas do bem-estar material da comunidade e, o outro, da salvação das almas – é impossível que viesse a surgir entre eles alguma discórdia. *Sed, pudet haec opprobria* etc.[6] Deus todo-poderoso, eu vos suplico: fazei que finalmente se pregue o Evangelho da paz, e que os magistrados civis, tomando o cuidado de conformar a própria consciência à lei de Deus e menos voltados para subjugar a consciência de outros homens por leis humanas, dirijam, como pais de sua nação, todos os seus conselhos e esforços à promoção do bem público civil de todos os seus filhos, exceto aqueles que forem arrogantes, incontroláveis e danosos aos irmãos; e que todos os homens eclesiásticos, que se gabam de ser os sucessores dos apóstolos, seguindo pacífica e modestamente os passos dos apóstolos, e sem se imiscuírem em assuntos de Estado, dediquem-se inteiramente a promover a salvação das almas. Adeus.

* * *

Talvez não seja um despropósito acrescentar algumas palavras a respeito da heresia e do cisma. Um turco não é, nem pode ser herege ou cismático para o cristão; e se um homem qualquer abandona a fé cristã em favor do maometismo, nem por isso se torna ele herege ou cismático, mas um apóstata e infiel. Disso ninguém duvida. Sendo assim, parece que membros de religiões distintas não podem ser hereges ou cismáticos uns para os outros. Devemos então investigar que homens são da mesma religião. Quanto a isso, é manifesto que são da mesma religião os que têm a mesma regra de fé e culto divino; e aqueles que não têm a mesma regra de fé e culto são de religiões diferentes. Uma vez que tudo que é pertinente a determinada religião se acha contido nessa regra, segue-se, necessariamente, que aqueles que estiverem de acordo acerca da mesma regra são da mesma religião, sendo o oposto verdadeiro. Logo, os turcos e cristãos são de religiões diferentes, porque estes últimos reconhecem como regra da religião as Sagradas Escrituras e, aqueles, o Alcorão. E, por essa mesma razão, mesmo entre cristãos pode haver religiões diferentes. Papistas e luteranos, embora professem a fé em Cristo, recebendo, portanto, a denominação de cristãos, não pertencem à mesma religião, pois estes somente reconhecem as Sagradas Escrituras como a regra e fundamento de sua religião, enquanto aqueles, além das Sagradas Escrituras, aceitam também tradições e decretos dos papas, tendo todos em conjunto como a regra da religião. De igual forma, os cristãos de São

João[7], como são denominados, e os cristãos de Genebra pertencem a religiões diferentes, embora ambos se denominem cristãos, porque estes aceitam apenas as Sagradas Escrituras, ao passo que aqueles adotam não sei que tradições como regra de sua religião.

Tendo isso estabelecido, segue-se que, em primeiro lugar, a heresia consiste na separação que se faz em uma comunidade eclesiástica entre homens da mesma religião devido a certas doutrinas que não são compreendidas de modo algum pela própria regra e, em segundo, entre os que reconhecem unicamente as Sagradas Escrituras como regra de fé: a heresia consiste na separação que se faz na comunidade cristã devido a doutrinas que não estão contidas em termos expressos nas Sagradas Escrituras. Eis que essa separação pode ocorrer de duas maneiras:

1) Quando a maioria – ou, em virtude do patrocínio do magistrado, a parcela mais forte – de uma Igreja se separa dos outros membros, excluindo-os de sua comunidade porque não professam a mesma crença em certas doutrinas que não estão em termos expressos nas Escrituras. Porque não é o número diminuto dos que são separados, nem a autoridade do magistrado, que podem tornar algum homem culpado de heresia, mas simplesmente é herege quem divide a Igreja em facções, introduz nomes e sinais de distinção e voluntariamente faz uma separação por causa dessas doutrinas.

2) Quando alguém se separa da comunidade de uma Igreja porque essa Igreja não professa publicamente certas doutrinas que as Sagradas Escrituras não ensinam expressamente.

Uns e outros são hereges porque erram em questões fundamentais e erram obstinadamente contra o conhecimento. Pois quando determinaram que as Sagradas Escrituras são o único fundamento da fé, eles no entanto instituíram como sendo fundamentais proposições que não estão nas Sagradas Escrituras. E como outros não reconhecem essas doutrinas adicionais suas, nem as concebem como necessárias e fundamentais, eles se separam da Igreja, seja expulsando os outros ou se retirando dela. Não significa coisa alguma sua alegação de que suas confissões e artigos de fé estão em conformidade com as Escrituras e a analogia da fé[8], porque, se forem concebidos nos termos expressos das Escrituras, não poderá haver dúvidas sobre eles, pois essas são coisas aceitas por todos os cristãos como divinamente inspiradas e, portanto, fundamentais. Mas se disserem que os artigos que exigem que se professe são consequências deduzidas das Sagradas Escrituras, nada haverá de errado em crerem e professarem coisas que lhes parecem concordar com a regra da fé. Porém seria um grande erro tentarem impô-las a quem não as julga doutrinas indubitáveis das Escrituras. E provocar separação por questões dessa ordem, que não são nem podem ser fundamentais, significa tornar-se herege, já que não acredito que algum homem tenha chegado a tal grau de loucura que se atreva a julgar divinamente inspiradas suas inferências e interpretações das Sagradas Escrituras, colocando os artigos de fé que modelou segundo sua própria fantasia no mesmo plano da autoridade da Sagrada Escritura. Reconheço que há certas proposições tão evidentemente compatíveis com as Sagradas Escrituras que ninguém pode negar que vêm delas, e quanto a estas não pode, em decorrência, haver controvérsia. A única coisa que afirmo é: Por mais claramente que uma doutrina nos pareça uma dedução das Sagradas Escrituras, não devemos por isso impô-la a outros, como se fosse um artigo de fé necessário, pelo fato de crermos que é compatível com a regra da fé, a não ser que aceitemos que outras doutrinas nos sejam impostas, vendo-nos assim obrigados a aceitar e professar todas as doutrinas diferentes e contraditórias de luteranos, calvinistas, protestantes, anabatistas e outras seitas que os inventores de símbolos, sistemas e confissões estão acostumados a proclamar aos que os seguem como deduções genuínas e necessárias das Sagradas Escrituras. Não posso senão me admirar com a extravagante arrogância dos que pensam que podem eles mesmos explicar coisas necessárias à salvação mais claramente do que o Espírito Santo, que é a sabedoria eterna e infinita de Deus.

Até o momento discorri sobre a heresia, palavra que no uso corrente só se aplica à parte doutrinal da religião. Consideremos agora o cisma, que é um crime bem próximo daquele. Eis que essas duas palavras me parecem significar uma separação mal-fundamentada na comunidade eclesiástica feita com relação a coisas que não são necessárias. Mas como o uso, que é a lei suprema em matéria de linguagem, determinou que a heresia se vincula aos erros de fé e o cisma aos do culto ou da disciplina, devemos considerá-los sob essa distinção.

O cisma, então, pelos motivos acima aludidos, nada mais é do que a separação feita na comunhão da Igreja devido a algo que não é parte necessária do culto divino ou da disciplina eclesiástica. Ora, nada no culto ou na disciplina eclesiástica pode ser necessário à comunhão cristã senão aquilo que Cristo, nosso legislador, ou os apóstolos, por inspiração do Espírito Santo, ordenaram por palavras expressas.

Em suma: aquele que não nega nada daquilo que as Sagradas Escrituras expressaram claramente, e não faz uma separação devido a algo que não se encontra manifestamente contido no texto sagrado, em ato e em verdade não pode ser herege nem cismático – ainda que tenha sido difamado por algumas dessas seitas cristãs, e declarado inteiramente privado do verdadeiro cristianismo.

Esses assuntos poderiam ter sido expostos de maneira mais detalhada e elegante, mas ter dado deles algumas indicações é suficiente para uma pessoa de vosso discernimento.

Notas

1. Ou "civilidade e bom uso", termos equivalentes na época [N.T.].

2. Referência a Lutero [N.T.].

3. Referência à oposição teológica entre coisas indiferentes (*adiaphora*) e coisas necessárias à salvação. Estas últimas são imutáveis, determinadas por Deus nas Escrituras, ao passo que aquelas estão sujeitas a mudanças da parte dos seres humanos [N.T.].

4. Ou doutrinas das Igrejas [N.T.].

5. *Forum externum* e *forum internum*, na carta em latim [N.T.].

6. Referência ao dito de Ovídio (*Metamorfoses*, i.758-759): "Pudet haec opprobria nobis / Et dici potuisse et non potuisse refelli", ou seja, "[Porém,] temos vergonha de dizer algo tão escandaloso, e que pode ser dito, mas não contestado" [N.T.].

7. Referência à ordem religiosa católica dos Cavaleiros de São João, de Malta [N.T.].

8. Referência a Rm 12,6, a *ratio fidei* usada por São Paulo. Trata-se de usar passagens das Escrituras consideradas claras para compreender passagens que deem margem a dúvidas [N.T.].

Vozes de Bolso

- *Assim falava Zaratustra* – Friedrich Nietzsche
- *O Príncipe* – Nicolau Maquiavel
- *Confissões* – Santo Agostinho
- *Brasil: nunca mais* – Mitra Arquidiocesana de São Paulo
- *A arte da guerra* – Sun Tzu
- *O conceito de angústia* – Søren Aabye Kierkegaard
- *Manifesto do Partido Comunista* – Friedrich Engels e Karl Marx
- *Imitação de Cristo* – Tomás de Kempis
- *O homem à procura de si mesmo* – Rollo May
- *O existencialismo é um humanismo* – Jean-Paul Sartre
- *Além do bem e do mal* – Friedrich Nietzsche
- *O abolicionismo* – Joaquim Nabuco
- *Filoteia* – São Francisco de Sales
- *Jesus Cristo Libertador* – Leonardo Boff
- *A Cidade de Deus – Parte I* – Santo Agostinho
- *A Cidade de Deus – Parte II* – Santo Agostinho
- *O conceito de ironia constantemente referido a Sócrates* – Søren
  Aabye Kierkegaard
- *Tratado sobre a clemência* – Sêneca
- *O ente e a essência* – Santo Tomás de Aquino
- *Sobre a potencialidade da alma* – De quantitate animae – Santo
  Agostinho
- *Sobre a vida feliz* – Santo Agostinho
- *Contra os acadêmicos* – Santo Agostinho
- *A Cidade do Sol* – Tommaso Campanella
- *Crepúsculo dos ídolos ou Como se filosofa com o martelo* –
  Friedrich Nietzsche
- *A essência da filosofia* – Wilhelm Dilthey
- *Elogio da loucura* – Erasmo de Roterdã
- *Linguagem corporal em 30 minutos* – Monika Matschnig
- *Utopia* – Thomas Morus
- *Do contrato social* – Jean-Jacques Rousseau
- *Discurso sobre a economia política* – Jean-Jacques Rousseau
- *Vontade de potência* – Friedrich Nietzsche
- *A genealogia da moral* – Friedrich Nietzsche
- *O Banquete* – Platão
- *Os pensadores originários* – Anaximandro, Parmênides, Heráclito
- *A arte de ter razão* – Arthur Schopenhauer
- *Discurso sobre o método* – René Descartes
- *Que é isto – A filosofia?* – Martin Heidegger
- *Identidade e diferença* – Martin Heidegger
- *Sobre a mentira* – Santo Agostinho
- *Da arte da guerra* – Nicolau Maquiavel
- *Os Direitos do Homem* – Thomas Paine

- *Sobre a liberdade* – John Stuart Mill
- *Defensor menor* – Marsílio de Pádua
- *Tratado sobre o regime e o governo da cidade de Florença* – J. Savonarola
- *Primeiros princípios metafísicos da Doutrina do Direito* – Immanuel Kant
- *Carta sobre a tolerância* – John Locke
- *A desobediência civil* – Henry David Thoureau
- *A ideologia alemã* – Karl Marx e Friedrich Engels
- *O conspirador* – Nicolau Maquiavel
- *Discurso de metafísica* – Gottfried Wilhelm Leibniz
- *Segundo Tratado sobre o governo civil e outros escritos* – John Locke
- *Miséria da filosofia* – Karl Marx
- *Escritos seletos* – Martinho Lutero
- *Escritos seletos* – João Calvino
- *Que é a literatura?* – Jean-Paul Sartre
- *Dos delitos e das penas* – Cesare Beccaria

CATEQUÉTICO PASTORAL

Catequese – Pastoral
Ensino religioso

CULTURAL

Administração – Antropologia – Biografias
Comunicação – Dinâmicas e Jogos
Ecologia e Meio Ambiente – Educação e Pedagogia
Filosofia – História – Letras e Literatura
Obras de referência – Política – Psicologia
Saúde e Nutrição – Serviço Social e Trabalho
Sociologia

TEOLÓGICO ESPIRITUAL

Biografias – Devocionários – Espiritualidade e Mística
Espiritualidade Mariana – Franciscanismo
Autoconhecimento – Liturgia – Obras de referência
Sagrada Escritura e Livros Apócrifos – Teologia

REVISTAS

Concilium – Estudos Bíblicos
Grande Sinal – REB

PRODUTOS SAZONAIS

Folhinha do Sagrado Coração de Jesus
Calendário de mesa do Sagrado Coração de Jesus
Agenda do Sagrado Coração de Jesus
Almanaque Santo Antônio – Agendinha
Diário Vozes – Meditações para o dia a dia
Encontro diário com Deus
Guia Litúrgico

VOZES NOBILIS

Uma linha editorial especial, com importantes autores, alto valor agregado e qualidade superior.

VOZES DE BOLSO

Obras clássicas de Ciências Humanas em formato de bolso.

CADASTRE-SE
www.vozes.com.br

EDITORA VOZES LTDA.
Rua Frei Luís, 100 – Centro – Cep 25689-900 – Petrópolis, RJ
Tel.: (24) 2233-9000 – Fax: (24) 2231-4676 – E-mail: vendas@vozes.com.br

UNIDADES NO BRASIL: Belo Horizonte, MG – Brasília, DF – Campinas, SP – Cuiabá, MT
Curitiba, PR – Fortaleza, CE – Goiânia, GO – Juiz de Fora, MG
Manaus, AM – Petrópolis, RJ – Porto Alegre, RS – Recife, PE – Rio de Janeiro, RJ
Salvador, BA – São Paulo, SP